Contents

Chronology of Mérimée's principal literary works

1803 Mérimée is born in Paris.
1825 *Le Théâtre de Clara Gazul.*
1827 *La Guzla.*
1828 *La Jaquerie.*
     La Famille de Carvajal.
1829 *Chronique du règne de Charles IX.*
     Mateo Falcone.
     Vision de Charles XI.
     L'Enlèvement de la redoute.
     Tamango.
     Federigo.
     La Perle de Tolède.
1830 *Le Vase étrusque.*
     La Partie de trictrac.
     Le Théâtre de Clara Gazul (second, enlarged edition).
1831–1833 *Lettres d'Espagne.*
1833 *La Double Méprise.*
1834 *Les Ames du Purgatoire.*
1837 *La Vénus d'Ille.*
1840 *Colomba.*
1844 *Arsène Guillot.*
1845 *Carmen.*
1846 *L'Abbé Aubain.*
1869 *Lokis.*
1870 Death of Mérimée in Cannes.
1873 Posthumous publication of *Il Viccolo di Madama Lucrezia* (written in 1846); *La Chambre bleue* (1866); *Djoumane* (1868).

Prosper Mérimée

Carmen et autres nouvelles choisies

Mateo Falcone-Tamango-La Vénus d'Ille

Edited by **M. J. Tilby** **M.A., Ph.D.**
Fellow of Selwyn College
Cambridge

Nelson

Thomas Nelson and Sons Ltd
Nelson House   Mayfield Road
Walton-on-Thames   Surrey
KT12 5PL   UK

51 York Place
Edinburgh
EH1 3JD   UK

Thomas Nelson (Hong Kong) Ltd
Toppan Building 10/F
22A Westlands Road
Quarry Bay   Hong Kong

Distributed in Australia by

Thomas Nelson Australia
480 La Trobe Street
Melbourne   Victoria 3000
and in Sydney, Brisbane, Adelaide and Perth

Introduction and Notes © M. J. Tilby 1981
First published by Harrap Limited 1981
(under ISBN 0-245-53546-2)
Second impression published by Thomas Nelson and Sons Ltd 1985
Reprinted 1986, 1987
ISBN 0-17-444466-4
NPN 9 8 7 6 5
Printed in Hong Kong

Introduction

Je n'aime dans l'histoire que
les anecdotes; je donnerais
volontiers Thucydide pour des
mémoires authentiques d'Aspasie.
(Mérimée)

Although Prosper Mérimée (1803–1870) is known principally as a writer of short stories and is remembered by many solely as the author of a story that became the basis of an opera by Bizet, prose fiction was by no means his only literary pursuit. Even if we include three posthumous tales that were not intended for publication and *La Perle de Tolède*, which is one page long, his collected short stories run to only nineteen titles. His first eight stories were published in a space of eighteen months. Later, once his two most substantial *nouvelles* (*Colomba* and *Carmen*) were behind him, some twenty years elapsed without his producing a single story. Instead, throughout most of the Second Empire, he devoted himself to essays on Gogol, Turgenev and Pushkin, translations of their works, and, above all, well-researched histories of Julian Rome, medieval Spain and seventeenth-century Russia. Prior to that he had spent the greater part of the July Monarchy as *Inspecteur général des monuments historiques*, a post in which he showed extreme zeal. It involved him in regular tours of inspection, and four volumes of travel notes exist to give us an impression of both his expertise and his personal preferences. So, although his stories are, understandably, the most enduring of his achievements, they should not be allowed to dwarf his other activities. His knowledge of Russian may have been faulty and his architectural tastes occasionally questionable but the list of monuments restored and his pioneering work in introducing Russian literature to the French remain impressive.

Mention should also be made here of Mérimée's literary activities before he turned to the short story. It was in 1825 that he began a series of plays in prose, attributed, characteristically, to a spurious Spanish actress he christened Clara Gazul. The preface contained a biography of the non-existent actress-playwright, allegedly written by the translator of her works. A second edition of *Le Théâtre de Clara Gazul* appeared in 1830 and included two plays that had been written the previous year. Together with *La Famille de Carvajal*, a satire on Gothic literature which dates from 1828, these plays represented an attempt by Mérimée to found a new, Romantic theatre. He adopted colourful Spanish settings, and, with a provocative disregard for the unities, produced scene upon scene of highly dramatic action. Ignoring in this way the dictates of classical French drama, he presented his readers with an original blend of the Spanish theatrical tradition—he had made a careful study of Lope de Vega and Calderón—and contemporary, Romantic fiction. Even more provoking in these years of the conservative Bourbon Restoration were the veins of liberal sentiment, scepticism and anti-clericalism. The plays were not written to be performed, though one of them—*Le Carrosse du Saint Sacrement*—has in more recent times featured in the repertory of the *Comédie française*.[1] (An earlier production, that of 1850, had been an unequivocal failure.) But it would be wrong to dismiss *Le Théâtre de Clara Gazul* as an academic exercise. It earned Mérimée the praise of no less a critic than Goethe and played its part, along with Stendhal's pamphlet *Racine et Shakespeare* (1823) and Hugo's celebrated preface to *Cromwell* (1827), in encouraging the growth of a new theatre; some of the plays which were to emerge in subsequent years did in fact give rise to successful stage productions. Yet Mérimée himself seems to have shown little interest in following *Le Théâtre de Clara Gazul* with a life of active participation in the theatre, and once he had established himself as a writer of short stories he produced only two "playlets", both of which can be ignored by all but the literary historian.

Mérimée's youthful energies were not directed exclusively towards the establishment of a Romantic theatre. A text of 1828, *La Jaquerie*, which the author subtitled *Scènes féodales*, presented in 36 scenes of dramatic dialogue the events of a 14th-century peas-

---

[1] In 1868 Offenbach had used the play as a basis for his operetta *La Périchole*; Lord Harewood notes that "the adaptation is a very long way indeed after the original." Jean Renoir made rather different use of the play in his film *The Golden Coach*. A. W. Raitt claims that another play in this collection—*L'Occasion*—is "one of the few Romantic dramas which are still alive and stageworthy today."

ants' revolt. A year later the still widely read *Chronique du règne de Charles IX* reveals, among other things, Mérimée's desire to become the French Walter Scott, a temporary ambition he shared with many other young writers.[1] (The *Chronique* was to be Mérimée's only novel, though *Colomba* is unusually long for a *nouvelle*.) It is centred on the massacre of Huguenots that took place on St Bartholomew's Day 1572, and against a convincing historical canvas tells a story of drama and passion with the aid of an impressively impersonal narration. The composition is a patchwork of small-scale *tableaux*, and already it is possible to see from this novel that Mérimée's instinctive compositional procedures would lend themselves extremely well to the rigorous demands imposed by the short story.

The last remaining example of Mérimée's early work is a volume now more talked about than read. *La Guzla* (1827) purported to be the translation of 32 Illyrian ballads by one Hyacinthe Maglanovich. (*Guzla* is a Croatian word for a one-string musical instrument resembling a violin; it is also an anagram of Gazul!) In fact they were all, save one, original compositions by Mérimée himself. Yet so convincing were these pastiches that many assumed them to be genuine. The hoax even survived the translation of the ballads, by various distinguished scholars and poets, into English, Polish and Russian. A second edition of *La Guzla* appeared in 1842.

From even a cursory glance at these youthful writings there emerge a number of features that are likely to be encountered in any consideration of Mérimée's approach to the short story. There is firstly the scholarly care with which he documents the background to his imaginative creations. This is more than mere perfectionism. Erudition and fiction-making will eventually be seen by him as complementary halves of a single artistic activity. He knew that scholarly researches can give rise to arid pedantry, while the imagination, if given a free rein, may all too easily spawn far-fetched and preposterous inventions. Much of the uniqueness of Mérimée's art comes from his determination to evolve subtle ways of relating these two antithetical operations of the mind. Linked to this feature is a profoundly ambivalent attitude towards his subject matter and the very activities in which he is engaging. One side of him is drawn to the aesthetic of the new Romantic

[1] See the Harrap edition by Roger Clark.

movement. He is thus alive to the appeal of sentimental passion, exoticism and brilliant displays of local colour. The hoax perpetrated by *La Guzla* and the invention of Clara Gazul also reveal a tenet that will be central to Mérimée's concept of fiction, namely that the storyteller's art resides to a considerable degree in his ability to create an illusion.[1] In many of his short stories he will take this still further, in an attempt to make his reader believe in precisely those things which he is customarily reluctant to accept. Another side of him, however, feels the urge, if not always to ridicule such things, at least to maintain an ironic detachment. Quite apart from the belittling, not to say flippant, way in which he is liable to dismiss his creations, his early writings display many examples of the dismissive gesture that deflates the illusion created or dissociates the author from his work and the effects he has produced. Chapter 8 of the *Chronique* is one such example. Entitled, after the manner of certain English novelists of the 18th century, *Dialogue entre le lecteur et l'auteur*, it ends with the putative reader exclaiming: "Ah! je m'aperçois que je ne trouverai pas dans votre roman ce que j'y cherchais." To which the author replies: "Je le crains." An ambivalent attitude towards his own creations will indeed be a regular feature of his writing. In many of his stories the author and the fiction-making process in which he is engaged are exposed to irony no less than his characters or his reader.

It has been traditional to relate these dismissive gestures to deep-rooted facets of Mérimée's personality. We are reminded of his fundamental distrust of both himself and others, the fear of being duped that lies at the root of his personal motto: *memneso apistein*, which, literally translated, means "remember to beware". Saint-Clair, the principal character in *Le Vase étrusque*, who was recognized by many of Mérimée's contemporaries as something of a self-portrait, is at one point described in the following terms:

Il était né avec un cœur tendre et aimant; mais à un âge où l'on prend trop facilement des impressions qui durent toute la vie, sa sensibilité trop expansive lui avait attiré des railleries de ses camarades. Il était fier, ambitieux; il tenait à l'opinion comme y tiennent les enfants. Dès lors, il se fit une étude de cacher tous les dehors de ce qu'il regardait comme

---

[1] "Illusion is the *primum mobile* to the formal part of Mérimée's poetics, the bedrock upon which the entire theoretical system rests." (R. C. Dale)

une faiblesse déshonorante. Il atteignit son but; mais sa victoire lui coûta cher. Il put celer aux autres les émotions de son âme trop tendre; mais, en les renfermant en lui-même, il se les rendit cent fois plus cruelles. Dans le monde, il obtint la triste réputation d'insensible et d'insouciant; et, dans la solitude, son imagination inquiète lui créait des tourments d'autant plus affreux qu'il n'aurait voulu en confier le secret à personne.

Mérimée himself is described by his biographer A. W. Raitt as "a painfully vulnerable man who had soon learnt to protect his sensitivity by building round it a shell of hard indifference". There can be no doubt that Mérimée's ambivalent attitude towards his fictions and his frequent recourse to self-irony are very largely the result of his particular personality. Yet the author's biography will not by itself explain why this ambivalence gives rise to highly satisfying and enjoyable fiction. Instead, reference must necessarily be made to the author's profound understanding of his chosen medium, his appreciation of the unique qualities of fiction and his recognition of the kind of effects that are likely to be found most satisfying by his readers.

If we ask why in 1829 Mérimée decided to turn to the short story, the immediate answer is doubtless to be sought in the sudden growth of the periodical press in the final years of the Restoration. Magazines like the *Revue de Paris* soon came to see short fiction as one of their staple ingredients. Mérimée was certainly not alone in turning to the short story at this time. Stendhal, and even more so Balzac, to say nothing of a host of minor writers, responded immediately to this new opportunity. At the same time there are indications that Mérimée's short stories can be explained only partly by the existence of a ready market. It is clear from both his plays and the *Chronique* that he enjoyed the small-scale unit, the effects to be gained from the precise, significant detail rather than exhaustive description. His refusal ever to forsake a rigid and conscious control over his compositions and allow his imagination a freer rein was a further pointer to the short story as the genre most suited to his particular artistic temperament.

The four stories we have chosen present: a tale of Corsican honour; a rebellion aboard an African slave-ship; a supernatural story set in the province of Roussillon; the fatal attractions of a Spanish gypsy girl. They could all be said to illustrate the dominant strain in Mérimée's storytelling, insofar as they offer colourful tales of strong emotions in what at the time at least were felt to be exotic and primitive settings.[1] Throughout his career as a writer Mérimée remained fascinated by more primitive civilizations and by "the crude power of men and women which mocks, while it makes use of, average human nature." (Walter Pater) In each case, the author was seeking to jolt his readers out of their conventional experiences; the stories may therefore be viewed as an attempt to show us that our own stereotypes of human behaviour do not exhaust the range of possibilities. All the stories in the present selection reveal other features that are typical of Mérimée's fiction: a preoccupation with death; an apparent belief in the irrationality of existence; the presentation of characters who are frequently the victims of a cruel and malevolent Fate; a profoundly pessimistic view of love. The stories also show Mérimée's almost perverse attraction to the negative aspects of any experience. For example, he may well have believed, as F. P. Bowman has said, that "the primitive was more forthright and more free than the Occidental" but his apparent approval for the primitive, rather than being a purely positive reaction, was essentially an attempt to reveal the falseness and hypocrisy of his own society and that of his readers. He was no less concerned to show up the unattractive side of primitive civilizations. An almost constant ironic tone appears to be a necessary means of surviving this pessimism, and the absence of moral judgments from the author stems partly from a feeling that human behaviour is often determined by circumstances beyond the individual's control.

A picture of Mérimée's fiction based entirely on our selection would, however, give a misleading impression of homogeneity. For the picture to be more complete, it would be necessary to read one of the often mildly scabrous stories of his final period—they are, let it be said, usually thought of as inferior to those he wrote in the 1830s and 1840s—and at least one of his three major Parisian stories: *Le Vase étrusque*, *La Double Méprise* or *Arsène Guillot*. The first of these is an illustration of the destructive effects of jealousy: Saint-Clair dies in an unnecessary duel. *La Double Méprise*, like-

---

[1] "Comment donc Mérimée la (*i.e.* la nouvelle) conçoit-il? Toutes proportions gardées, à peu près comme Racine concevait la tragédie: une action 'simple', 'chargée de peu de matière', un épisode 'vraisemblable' qui met en valeur un caractère en pleine crise, des passions violentes, s'exprimant avec force." (P. Trahard)

wise, introduces a protagonist who bears at least some resemblance to Mérimée himself. In this story a failing marriage leads to the seduction of the romantically inclined wife by a dashing acquaintance from the past. Subsequent events show that each partner in the affair has failed to understand the character of the other, and the liaison peters out. Julie de Chaverny dies, apparently of grief.[1] As for *Arsène Guillot*, it is a story that contrasts the goodness of a plebeian girl, whose only means of support for herself and her sick mother is the man whose mistress she becomes, with the hypocrisy of an upper-class *dévote*, who, having tried to convert Arsène, ends up stealing her lover. Finally, since Mérimée's critics seem divided when it comes to an assessment of the relative merits of *Colomba* and *Carmen*, readers may also be encouraged to form their personal assessment of *Colomba*, a *nouvelle* in which Mérimée returns to the setting of Corsican feuds and banditry he had chosen for his first short story, *Mateo Falcone*. It is the longest of his *nouvelles*, and those critics who make much of Mérimée's interest in human behaviour draw many of their examples from it.

There have been many attempts to define the *nouvelle*, none of which is perhaps entirely satisfactory. One of the major concerns has always been to separate it from the *conte*. In his discussion of French short stories in the 19th century Albert J. George provides a useful starting point: "Slowly the words *conte* and *nouvelle* took on implied meaning: the *conte*, generally shorter in length, tended to focus on a single situation, while the longer *nouvelle* included a series of incidents for the analysis and development of character or motive." The *conte*, in fact, seems to have preserved some of the qualities of oral narration: a certain spontaneity, a delight in the conventional language of storytelling and a gradual movement towards a conclusion that illustrates the point that prompted its telling. The more sophisticated *nouvelle*, on the other hand, tends to possess a greater degree of structural complexity and is often more concerned with its own aesthetic qualities than with the revelation contained in the conclusion. Yet such distinctions may leave us uncertain about a story like *Mateo Falcone*, and in the end

---

[1] *La Double Méprise* can also be read as a presentation of the attractions and dangers of fiction. The reader is shown to be, no less than the characters in the story, a victim of his readiness to see events in terms of the stereotyped romantic fiction. (See the article by Lethbridge and Tilby cited in the bibliography.)

it is probably better to set aside all attempts to provide exhaustive definitions. Even within the present brief anthology of a single author, it can be seen that Mérimée does not make his stories conform to a single model.

Assessing a short story is an activity that presents certain pitfalls. It is all too easy, for example, to forget that a short story is not simply a very short novel. Yet there are of course certain things that we cannot expect from the short story, and it is advisable to admit from the start that, in comparison with the novel, the short story is the humbler of the two genres. It does not offer the same possibilities for detailed characterization, nor can it serve as the vehicle for a complex authorial vision. No criticism should be intended, however, if we are led to observe that the author of a short story has not *said anything*. The short story is essentially a display of craftsmanship, an exercise in form.

The reader of a short story is constantly aware of a formal composition. Plot is thrown into relief by the brevity of the work and the writer is often encouraged to derive certain almost geometrical effects from the way in which the events are combined. The best of such compositions are endowed with an undisputed sense of unity and purpose. As Paul Bourget once put it, with specific reference to Mérimée: "la nouvelle exige l'unité du coloris, peu de touches, mais qui conspirent à un effet unique." The carefully chosen details are organized in more or less clearly discernible patterns of meaning. In contrast the more open-ended novel rarely possesses such tight organization. Although a writer like Flaubert may attempt a high degree of formalization in the novel, novelists will more usually distract the reader's attention from the structural skeleton of the composition and involve him instead in reflection on the worlds they have created. Ultimately the short story tends, on the other hand, to be more concerned with the effects of its formal composition than with the intrinsic interest of its content.

The advantages of a genre that makes such unashamed use of artifice are various. A high degree of aesthetic gratification is probably the most important. Secondly, the writer of short stories is able to present a thematic clarity that is rarely possible in the more diffuse form of the novel. Willing acceptance of the short story as a highly formal composition also encourages the writer to shape his story with particular regard to his reader's potential responses.

In the case of Mérimée this becomes doubly necessary in that he is frequently attempting to make us believe in the incredible. The reader must be disarmed of his capacity for scorn. His willingness to yield to the seductions of fantasy must be exploited without causing him to lose his self-respect.

At this point it should be said that not all critics are convinced that Mérimée is a great writer. In some cases, we may sense that the objections are levelled merely against the personality assumed by the storyteller. The lack of warmth, the ironic pessimism are clearly not going to be to every reader's taste. On the other hand, for André Gide, the debilitating characteristic of Mérimée's fiction was a certain "perfection inutile". Even a distinguished Mérimée scholar such as Pierre Trahard, who detects many positive qualities in our author's *nouvelles*, complains of a certain lack of depth in Mérimée's writing:

Les nuances manquent, car les passions, ainsi réduites ou contraintes, sont plus violentes que profondes. Mateo Falcone et Tamango tiennent du barbare, et il n'est pas certain qu'ils soient vrais de cette vérité humaine, dont on fait tant d'honneur à Mérimée. . . . La psychologie de Mérimée est nette, un peu courte; elle découvre certaines causes de nos actes, saisit avec bonheur quelques réactions, quelques réflexes, montre le progrès rapide que peut accomplir tel sentiment, comme la jalousie ou le remords. Elle ne pénètre jamais au fond de la conscience.

We may be inclined to agree with such a view. On the other hand, it might be argued that in making such complaints the critic is approaching Mérimée's stories with certain questionable expectations and that as a result he is failing to recognize the specific effects Mérimée is trying to create.

Among those who remain convinced of Mérimée's achievement there is a high degree of unanimity. Mérimée's stories possess "classical" lines and display simplicity, clarity and, above all, concision.[1] Trahard sees the typical Mérimée character as "simplifié, ramené au trait essentiel, à l'action significative" and views Mérimée's art in terms of "une esthétique convergente". Mérimée's own advice to a budding author was indeed: "exprimer vos idées facilement et naturellement. Sans ces deux adverbes-là on

[1] For a presentation of Mérimée's appreciation of similar qualities in other writers see R. C. Dale, *The Poetics of Prosper Mérimée*.

n'écrit pas en français." The effect is often one of intensity, and we may be reminded of Baudelaire's comment that the *nouvelle* "a sur le roman à vastes proportions cet immense avantage que sa brièveté ajoute à l'intensité de l'effet." Frequently Mérimée's art is appreciated for what it leaves out: in his best *nouvelles* there is, thus, no extraneous matter. His own sentiments are also conspicuous by their absence. Also stressed is the way the narrative exhibits at all times the narrator's detached intelligence rather than an emotional involvement. Many have realized that the peculiar flavour of Mérimée's compositions comes from the combination of Romantic subject matter and an authorial manner that is always aloof, urbane and ironic, and at times frankly cynical. The impersonality of the narration is, though, often seen, with other distancing devices, as heightening rather than reducing the emotional effect. As J. B. Priestley once wrote: "He realized—as many authors following his example have done since—that such tales gain in tragic force by not being told with obvious sympathy in the exuberant manner of the other Romantics." Mérimée's celebrated contemporary, the critic Sainte-Beuve, considered that a similar restraint was the key also to the success of the storyteller's wit and humour: "Quand on veut faire rire, il faut savoir garder son sérieux. C'est ce que fait toujours Mérimée."

Few will deny the appropriateness of at least some of the terms in which such appreciations are expressed. Yet in Mérimée's case at least, craftsmanship has always to be seen as more than the moulding of an attractive subject, a fascinating plot and a lively or unusual narrative voice. At the same time, if in many of Mérimée's stories there is something beyond the explicit linear progression of the plot, it is rarely the depth of a psychological novelist revealing his characters' motives. (Character studies of Mérimée's creations will in fact produce misleadingly meagre results.) It is rather that his compositions exhibit tightly woven thematic patterns. What produces the impression of unity and concision is indeed not simply the judicious omission of superfluous matter but the relation of all the elements in the story to a limited number of implicit thematic reference points.[1] No direct

---

[1] "Mérimée's whole aesthetic of fiction was based on a consciously *selective* imitation of reality; his realism sought, not the accurate, detailed reproduction of life, but the careful arrangement of significant material in meaningful pat-

allusion is ever made to these thematic structures but they can be identified by means of careful analysis. Thus *Tamango* can be seen as a dramatization of the effects of ignorance and skill, with a number of subtle variations on this basic opposition. In that particular case the thematic structures serve simply to reinforce the plot. *Carmen*, a more complex composition, reveals itself to be much more about a sharply polarized relationship than about Carmen's true nature: the creation by the gypsy of her own personal myth and the readiness of José (and the reader) to subscribe to it. There is little in the narrative that does not serve to establish this crucial fact. As for *La Vénus d'Ille*, it is, we discover, as much about implicit attitudes to sexual passion as about the existence of supernatural phenomena. In various stories there also appears in different guises a basic opposition between factual knowledge and the purely imaginary. It would, of course, be easy for such thematic patterning to appear over-schematic. But in Mérimée's fiction it is prevented from becoming automatic or obtrusive both by the author's ability to satisfy in an entertaining way the primary requirements of storytelling and by the fact that the narrator's often casual manner teasingly suggests the very opposite of a rigorously structured composition.

Just as it is necessary to appreciate the implicit structural principles, or what one is tempted to call the "deep structures", of Mérimée's compositions, so it is important not to consider the narrative in isolation from its reader. For Mérimée was always conscious of the fact that his stories were going to be read. At the most basic level he is always alive to the need both to maintain the reader's eager interest in the outcome of events and to control our emotional involvement in his story; although he takes steps to authenticate his tales, he realizes that, ultimately, verisimilitude is less important than giving the reader a satisfying reaction to the events narrated. This is clearly the case in *Mateo Falcone*, and it explains the resonance of what in essence remains a simple anecdote. Much of the effectiveness of Mérimée's stories indeed comes from the fact that we are often made to respond uncharacteristically to the events he portrays. He will often present behaviour which

---

terns." (F. P. Bowman) Although sometimes contestable, Bowman's book—see bibliography—remains the most stimulating discussion of Mérimée's fiction.

in real life we would find shocking or tragic but which, as a result of a highly individual treatment by the narrator, arouses in us quite different reactions. Moreover, it is this concern with our responses rather than with a careful observance of some recognizable standard of verisimilitude that allows Mérimée to become adept at making us believe in fictions that are manifestly improbable. Fiction and the hoax are in fact never far apart in his mind; *La Vénus d'Ille* is an obvious case in point. But his awareness of the reader can have still more complex dimensions. If at the end of the story just mentioned we realize how skilfully we have been made to accept the author's fiction, at the end of *Carmen* we are made to feel that although this is once again the case, our possible objections that the story is exaggerated have been forestalled. On closer inspection it becomes evident that Mérimée remains ironically detached from a story that has been given us by gullible, and therefore partially unreliable, narrators. The reader is consequently disarmed. We can hardly deflate the fiction with an objection that is already implicit in the way the *nouvelle* has been constructed. In all these cases Mérimée shows an acute understanding both of what a fiction is and of the divergent ways in which the intelligent and sophisticated reader may be expected to respond to the fictional. His own dismissive attitude towards his storytelling is simply a heightened form of a suspicion of fiction that we all possess to a greater or lesser extent. Yet equally great, of course, is our desire to enjoy the gratifying mechanisms of fantasy. A story like *Carmen* manages to bring both these urges into play without allowing our healthy scepticism to deprive us of the enjoyment of the Romantic fiction. We are left to enjoy the myth of Carmen the *femme fatale*, secure in the knowledge that it is a distortion and that we are not being divested of our self-respect as rational, intelligent beings.

Mateo Falcone

This tale of Corsican honour was the first of Mérimée's short stories to be published. It was completed in February 1829 and, with the subtitle *Mœurs de la Corse*, appeared three months later in what was only the second volume of the *Revue de Paris*. The story was an immediate success. A rival publication talked of "ce talent naturel, soudain, frappant, que la critique ne donne pas, que le travail ne peut imiter".

Despite its brevity, the story contains numerous allusions to

Corsican geography and customs. Mérimée was not to visit Corsica until 1839, so was reliant on books and articles written by those who did have first-hand knowledge of the island. There was no shortage of such writings; interest in Corsica had increased steadily since it was bought by the French in 1768. The island's Napoleonic associations were undoubtedly an additional reason for this interest. The Emperor himself makes an appearance in Balzac's *La Vendetta*, a story written some months after *Mateo Falcone* and in which the author imagines the effects of a vendetta on the lives of a family of Corsican refugees in Paris during the Empire and the Restoration.

The subject of *Mateo Falcone* was not original. The anecdote of a child pointing to the hiding-place of a deserter and the subsequent execution of the boy by his father was well known in Corsica. Versions of it appear in several of the works that Mérimée seems to have read. "Le thème de la trahison muette" is, moreover, widespread in European folklore, though, needless to say, no source will explain the particular skill with which Mérimée recounts his story.

It is noteworthy that when Mérimée did finally visit Corsica he found that only minor points of fact were in need of revision. (The text of the present edition incorporates these revisions.) Several other minor changes result simply from his desire to be more obliging to the Corsicans, who had been so hospitable to him during his seven-week stay.

The most striking feature of this composition is undoubtedly the economy of means with which the author presents his story. The concision is achieved partly as a result of minimizing description. This is not to say that Mérimée did not seek to provide a precise setting for his tale. The use of Corsican terms is towards this specific end. Yet at all times we are aware of the author's restraint. Mérimée's fiction may often be seen in terms of the Romantic taste for local colour, but, in this story at least, local colour is never carried to excess. There is never any danger of it upsetting the balance of the composition. As so often in his stories, the details he gives of an unfamiliar setting betray, in the first instance, the curiosity of a scholar rather than the emotional *gourmandise* of the Romantic poet.

Characterization is restricted to essentials. What little there is emerges from the way in which the characters speak. Fortunato's filial pride, his father's unswerving allegiance to the Corsican code of honour, Gamba's manner—that of the typical N.C.O.—are not alluded to directly but they are clearly indicated by the characters' speech. (It should be pointed out however that the conversation of all Mérimée's characters remains stylized, in order that the uniform tone of the narrative should not be disturbed. One Mérimée scholar has observed: "Chez Mérimée nous avons le vocabulaire noble, c'est l'artiste qui veut qu'on sache qu'il domine son sujet et qu'il juge ses personnages. Ses bandits, sauf quelques jurons assez inoffensifs, parlent une langue toujours correcte, toujours spirituelle, parfois effleurant la préciosité."[1]) A further indication of the way character is only sketched in, leaving the lion's share of the interest to the sequence of events, is to be found in the names Mérimée chooses for his characters. The ironic Fortunato, the aggressive Falcone, the functional Gamba, with its connotations of sprightliness in contrast to the injured leg of the ironically named Sanpiero, all serve to isolate a single characteristic or fate. As for the central scene in the story, the interrogation of Fortunato by Gamba, it is less a psychological study of temptation and more a dramatic opposition of duty and greed.

The concision of Mérimée's writing in *Mateo Falcone* is matched by the rapid pace at which his narrative proceeds. After a short introduction establishing the narrator's credentials, the story has the appearance of pure action. The reader's attention is carefully concentrated upon the sequence of events. In retrospect every detail is seen to have played its part in creating the impression of an awesome and inexorable drama. Augustin Filon justly observed: "Point d'explications ni de réflexions, aucune épithète parasite, rien que des faits, et parmi ces faits il n'en est pas un seul qui soit insignifiant. On aurait peine à trouver dans notre littérature un autre exemple d'un pareil drame, ramassé ainsi en dix pages." Albert J. George makes a similar point: "In *Mateo Falcone* and *La Vénus d'Ille* everything is directed to the creation of a single effect, concentrated and stripped to essentials. All action is exteriorized and passes in rapid tempo through a single crisis to explode in the climax, then decline in a brief *dénouement*."

Looking at the sequence of events in retrospect should not however be the sole means of considering the plot of any fiction. The

[1] Albert Schinz, in the *Revue des langues romanes*, December 1909.

first reading of the story may have involved many hesitations and uncertainties in the mind of the reader. It is of course in this way that suspense is created and maintained. Individual readers of *Mateo Falcone* will need to interrogate their own responses to the various stages in the narrative. Yet the broad outlines of the experience are likely to be similar for all. Thus, although in retrospect it may seem that everything was pointing to the execution of Fortunato, until this dramatic moment only the author (and those familiar with one of the sources of his anecdote) is in possession of this secret. At the outset, for example, the reader (particularly the reader of the *Revue de Paris*, who has been told that the pages to follow will illustrate *mœurs de la Corse*) may be forgiven for thinking that it is a discussion of aspects of Corsican life, a picturesque travelogue. (An interesting comparison can be made between the introduction to *Mateo Falcone* and the opening of Maupassant's story *Un Bandit Corse* (1882).) The facts are interesting in themselves, while a comment such as: "Si vous avez tué un homme, allez dans le maquis de Porto-Vecchio, et vous y vivrez en sûreté" suggests a narrator who is relaxed as well as knowledgeable. We may be amused or we may find the remark facile, but the first two paragraphs of the story are unlikely to strike us as the prelude to what Walter Pater once described as "perhaps the cruellest story in the world". Any idea of this being an undemanding essay on Corsican life is however quickly dispelled, and a story is promised. The story will obviously centre on Mateo and, in view of the particular prowess that is described, we assume that the story will give further proof of his marksmanship. (Ironically, Mateo will be provided with a sizeable target at close range!) Then Mateo is lost from sight, and we may wonder whether the conclusion will in fact turn on the arrest of Sanpiero. After Fortunato has been persuaded to hide the fugitive he runs the risk of being punished for his action. When Mateo returns there is the possibility of a "shoot-out", as he jumps to the conclusion that he is the man sought by the soldiers. Once the true version of the facts has been established the reader wonders what Mateo's reaction will be. From this point on it is clear that the father's attitude towards his son's action can be the only conclusion, except in the unlikely case of the introduction of new external events. Other thoughts about the plot may enter the reader's head from time to time. He may have borne in mind the ominous remarks that comment on Mateo's decision to leave Fortunato at home: "On verra s'il n'eut pas lieu de s'en repentir." What is clear however is that the reader does not suppose consistently from the beginning that Fortunato's fate will constitute the final outcome of the story.

A subtle means of creating additional surprise can be seen in Mérimée's comparatively unobtrusive reversal of expectations. Thus, after Gamba has been presented as "fort redouté des bandits", we might expect Fortunato to be intimidated by him. Clearly he is not. Then, when the *adjudant* tells Mateo and his wife that he has captured Sanpiero, it is Giuseppa who adopts a hard line. Mateo is the one who is sympathetic: "Pauvre diable! dit Mateo, il avait faim." This charitable response serves to throw into greater, ironic relief Mateo's subsequent brutality. Further examples of unexpected reactions could undoubtedly be found at other points in this story.

Additional evidence of Mérimée's skill as a storyteller can be found in his control of the reader's emotional responses. In spite of Mérimée's decision to take the frame into the story and present the reader with an authoritative first-person narrator, the facts are related with a high degree of impersonality. The narrator makes every effort to conceal his own character, and in no way can he be said to constitute an obtrusive presence. The most the reader is aware of is the narrator's delight in storytelling. As a result, such emotive content as there is is continually played down. Although we may warm to Fortunato's plucky, if foolhardy, taunting of Gamba, the reader's response to the narrative as a whole is likely to be basically one of curiosity. Having thus maintained the detachment of his reader, Mérimée ensures that Mateo's final act and his summoning of his son-in-law will have at most the effect of a powerful surprise rather than awakening in the reader a profound sense of pity and terror. It is far from certain, therefore, that *Mateo Falcone* illustrates Priestley's claim that the impersonality of Mérimée's narration heightens the tragic intensity. Some readers may feel that the appeal of the story comes from its being a colourful anecdote about a world far removed from their own, simply an illustration of what in Corsica was a mere fact of life.

Although the narrator's impersonality is scarcely open to doubt, the ways in which it is achieved are worth attention. Close analysis of the narrative reveals, for example, frequent use of the impersonal

subject pronoun *on*. Syntax is, for the most part, simple. The basic
uniformity causes the occasional deviation for stylistic purposes
to be even more effective, e.g. the extended use of the imperfect
tense in the final moments of the temptation scene that leads
to Fortunato's betrayal of Sanpiero. But just as many aspects
of Mérimée's style can be related to his desire for impersonality,
so others contribute to the precision and rapidity of his narrative. Adjectives are rare—this is particularly noteworthy in an age
when for many writers the colourful epithet was a delight not
to be forgone. Instead, in this tale of action, it is the verbs
that are qualified: a distinct liking is shown for adverbs of time and
manner.

Many of these features will also be found to a greater or lesser
extent in Mérimée's subsequent stories. Yet despite its success
Mateo Falcone did not become the structural model for the other
compositions in our anthology. The differences between his various approaches to the short story invite careful study. As for the
relative merits of these approaches, individual readers will want to
come to their own conclusions.

Tamango

Tamango is likewise one of Mérimée's earliest stories; it made its
first appearance in the *Revue de Paris* in October 1829. Mérimée
was just 26. A comparison of both subject matter and its treatment
reveals unmistakable similarities between the two stories. Maurice
Levaillant rightly says, for example, that "le chef nègre est le frère
de Mateo Falcone". At the same time, *Tamango* is undoubtedly a
more complex narrative than the Corsican tale. It requires the
student of Mérimée to consider with some care both the attitudes
implicit in the story and the unique way in which Mérimée
combines and controls the various ingredients of his fiction.

The choice of subject was certainly topical. Although slavery
had in theory been abolished by the Congress of Vienna in 1815,
the trade still continued, amid much controversy. In 1821 the Swiss
pastor Stapfer, father of one of Mérimée's schoolfriends, had
founded the Société de morale chrétienne, in an attempt to ad-
vance the abolitionist cause. At Stapfer's weekly *salon* Mérimée
would have encountered a number of abolitionists with first-hand
experience of the trade, including the Baron de Staël, whose investigations in Nantes led to a report in the society's journal. In

1828 the question was brought to the forefront of public opinion by the publication of J. E. Morenas' *Précis historique de la traite des noirs*, a work which aroused much parliamentary and other public debate. Nor was slavery unknown as a literary subject. Both Mme de Duras and Victor Hugo had sensed its potential. But the latter's *Bug-Jargal* (1826) was, like other Romantic accounts of the life of slaves, shot through with a taste for the exotic and the passionate that contrasts palpably with the harshness of Mérimée's deliberately cold narrative. In the words of Léon Vignols, Mérimée "prit l'exact contre-pied de l'emphase et de la verbosité, des effusions et imprécations, des longues descriptions lyriques et des prétentions philosophiques, où se complaisaient les romantiques et aussi les classiques, qui se combattaient pourtant avec âpreté. Chez Mérimée, au contraire, un parfait naturel, une langue simple et pure."[1]

There was, then, much to encourage Mérimée in this particular choice of subject. Moreover, the story shares with *Mateo Falcone* a firm basis in documentation. Stapfer's society had published an essay by the well-known English abolitionist Thomas Clarkson entitled *Le Cri des Africains contre leurs oppresseurs ou coup d'œil sur le commerce homicide appelé Traite des Noirs*, a publication Mérimée must have known. It contained some striking diagrams of the Liverpool-based slave-ship *Brookes*, which, it was claimed, was built to contain 450 black slaves, though it often carried up to 600. (These diagrams, which had originally been published in Clarkson's mammoth *History of the Abolition of the Slave Trade* had been produced by order of the British Parliament.) In *Tamango* much emphasis was to be placed on the disposition of slaves aboard *L'Espérance*. Equally striking is Mérimée's concern to adopt precise nautical terminology; the recent translations of Fenimore Cooper's novels may well have assisted him in this respect. As for the all-important West African local colour, it is clear that Mérimée undertook substantial research.[2] The description of the slave-chain is almost certainly based on the abbé Raynal's *Histoire philosophique et politique des établissements et du commerce des Européens dans les deux Indes*, an anti-colonialist work of the Ancien

---

[1] Léon Vignols, "Les Sources du *Tamango* de Mérimée et la littérature 'négrière' à l'époque romantique", *Mercure de France*, 15 December 1927.
[2] My presentation of the West African local colour owes much to the article by G. Hainsworth (see bibliography).

Régime. The musical instruments of the Mandingos and the superstition of Mumbo-Jumbo had been described by the Scottish explorer Mungo Park in his *Travels in Africa*, a work which Mérimée had certainly read. Yet for both these subjects it has been suggested that a still more important source was Prévost's *Histoire générale des voyages*. In neither of these descriptions of Mumbo-Jumbo is it however a matter of the woman's unfaithfulness. Mérimée's authority here may well have been the article 'Mumbo-Jumbo' in the celebrated 18th century *Encyclopédie*.

There are indications also that the story itself came from Mérimée's reading about the slave trade, though it is difficult to be absolutely certain about sources. It has been suggested, for example, that his immediate starting point was the rebellion of negroes aboard a slave ship as recounted in a learned treatise on Insurance. Others have preferred to see Prévost as the source: this author tells of a black slave called Captain Tomba who plots such a rebellion; significantly, the slaves are aided by "une femme de leur nation". Yet the events in Emerigon's *Traité des Assurances* are in some ways closer to Mérimée's tale. In Prévost, the rebellion simply fails, and although Tomba manages to kill three sailors (each with a single blow of the fist!) he is eventually clapped in irons. Whereas in Emerigon we read: "Les nègres, délivrés de la présence de l'équipage français, jouirent pendant quelque tems (*sic*) de la liberté pour laquelle ils avaient combattu. Mais ils ignoraient l'art de la navigation. Le brigantin courut une route incertaine. Il échoua sur les rochers d'une des Iles caïques, où les nègres se réfugièrent. Un bateau bermudìen anglais se trouvait sur les lieux. Le capitaine de ce bateau enleva tous les effets du brigantin, et mit feu au navire." Ultimately, of course, it does not really matter which particular sources were used by Mérimée. What is fascinating is the way he has sought inspiration for his fiction in factual accounts of authentic events, and also the way he restricts himself, characteristically, to a single incident, when his sources would have presented him with many other dramatic events aboard slave ships. A writer other than Mérimée might well have adopted all these examples in an attempt to give us as complete and vivid an account of the trade as he was able.

In the uses to which Mérimée puts the details he culled from his reading he can be seen to go beyond his practice in *Mateo Falcone*. The nautical details perhaps fulfil a similar function to the

Carmen et autres nouvelles choisies

Corsican local colour in the earlier story, that of an authenticating device. But the details of the slave trade are clearly of interest in themselves: in the first half of the story the reader is likely to be as interested in them as in the characterization and plot. It may none the less be seen also as a means of throwing into relief the drama that is to follow, a practice that Mérimée adopts not infrequently.

In certain other respects, it will be seen that *Tamango* and *Mateo Falcone* represent a broadly similar approach to the short story. Although *Tamango* is longer and is not directed exclusively at preparing the reader for a single act of barbarism, it possesses much of the succinctness that had been so effective in Mérimée's first attempt at short fiction, together with an analogous balance between direct and indirect speech and thought. Once again, there is the same straightforward succession of actions, most of the links being temporal. The use of the pronoun *on* is, once more, striking as a means of stressing impersonality and, at times, an apparent indifference. Variety is however achieved by discreet use of both the historic present and '*style indirect libre*', the latter device being as much for concision as part of an attempt to capture the particular tone of a character's thoughts or his manner of speaking, though Mérimée is not unaware of its potential as a means of conveying irony.[1]

Although, arguably, suspense is a less important ingredient of

[1] *Style indirect libre* is a form of speech-reporting that stands midway between direct and indirect speech. Although the words are not attributed explicitly to the character, certain characteristics reveal that the words are not examples of the author's manner of speech or point of view but reflect the way the character expresses himself. The resulting detachment means that the device is a useful vehicle for irony. In addition, it has the advantages of concision and immediacy, and can be used to capture not just the thought processes of a character but also the precise flavour of his speech without the need for extensive quotation. It is particularly useful when the character concerned is not sufficiently articulate for the author to make widespread use of reported speech. The device was much loved by Flaubert, in whose hands it became a highly subtle and ambiguous form of reporting: it is often impossible when reading a novel such as *Madame Bovary* to make a clear distinction between the features that faithfully reflect the character's manner of expression and those that constitute oblique authorial commentary or the author's aesthetic heightening of the mundane. For further discussion of the device see Roy Pascal, *The Dual Voice: Free Indirect Speech and its Functions in the 19th century European Novel* (Manchester University Press, 1977).

26

Tamango than of *Mateo Falcone*, the stories resemble each other in the frequent twists in their plots. At the outset, the reader of *Tamango* may be forgiven for assuming that the story is merely a pretext for abolitionist propaganda.[1] He is soon disabused. As for the events in this story, they reveal a constant pattern of reversal and counter-reversal, for success in *Tamango* is always short-lived. Much of the most basic satisfaction in reading the story derives from our inability to predict the outcome of events. It is no co-incidence, for example, that the story begins with Ledoux and ends with Tamango, the French captain making a hasty departure from the story without so much as a single-line obituary from the narrator. (We are left to assume from certain general remarks that Ledoux was thrown overboard, possibly after being, like his crew, "déchiqueté et coupé par morceaux".) Instead of attempting to build up an intense atmosphere of foreboding, Mérimée prefers to surprise the reader and extend the story beyond the outcome that had promised to conclude events. Do we not feel at a certain point in the story that it is going simply to be the tale of a successful revolt? As an anecdote, it could easily have finished with the death of Ledoux.

As in *Mateo Falcone*, impersonality remains the dominant char-acteristic of the narrative. Detachment is increased, and with it the impression of authenticity, by the several professions of ignorance made by the narrator. Yet insofar as the events might be thought to have a right to a narration that reveals the author's sense of outrage, this impersonality—the matter of fact statements made about horrific events—is more than a stylistic choice and consti-tutes an attitude that is probably the most striking feature of the narrative. Such behaviour seems perverse, and the story may well derive from this attitude much of its piquancy. It is however often claimed that the impersonality is a deliberate attempt to make the scandalized reader voice his own objections to the inhumanity of the trade in *bois d'ébène*, and it may be true that it is an ironic echo of the indifference shown by the majority of Mérimée's contemporaries to such suffering. But, on the other hand, it may

---

[1] Before there is any mention of slave-trading, the reader is presented simply with a respectful account of Ledoux's skills as a sea captain. Only later, of course, will the full significance of such emphasis on Ledoux's knowledge of the art of navigation become fully apparent.

be felt that the dispassionate account in fact does little to arouse our feelings about man's brutality to man.[1]

What is clear is that much of the effect of *Tamango* comes not from the events themselves but from the mode of narration. The attitude adopted is still further reinforced by Mérimée's use of irony. Readers of the story cannot fail to detect certain ironic asides—at times they may be thought to verge on sarcasm[2]—or the ironic names Mérimée gives to the Captain and his vessel. The most far-reaching example of irony, however, consists in the reversal of certain widespread opinions held with regard to both Europeans and Africans. In this respect Mérimée goes well beyond the needs of the abolitionist cause. For instead of concentrating on the inhumanity of the trade, he emphasizes the stupidity and barbarism of both whites and blacks. That self-appointed paragon of civilization, the Frenchman, is thus shown to be not only inhuman but, notwithstanding an initial superiority (bolstered, it should be noted, by a crate of brandy), easily hoodwinked by Tamango and his fellow slaves. On the other hand, the victory of the slaves is itself shortlived, as a result of their ignorance of navigation. Ironically, therefore, their downfall is caused by the lack of precisely that expertise which Ledoux possesses in such abundance. Furthermore, Tamango's behaviour, when we are first introduced to him, outstrips even Ledoux's callousness. The implications seem clear. Tamango is far from being the noble savage invented by certain 18th century writers. Yet, given Ledoux's inhumanity, Voltaire's suggestion that it is simply a question of time before the savage will acquire civilization would seem to be firmly rejected by Mérimée. (Significantly, Ledoux complains of "l'abâtardissement de la race noire" before enunciating the general principle: "Tout dégénère".) Mérimée might reasonably have

---

[1] It may be felt that in the account of Ayché's final hours on board the brig the narrative becomes both more dramatic and more emotive. Mérimée's contemporary Gustave Planche rightly saw qualities in this particular *récit* that reminded him of Homer and Dante, though not all perhaps would want to go quite so far, when he adds: "L'auteur, malgré son antipathie bien connue pour les images lyriques, pour les comparaisons solennelles, cède malgré lui à l'irrésistible majesté de son sujet, et se laisse entraîner aux mouvements de la plus tumultueuse poésie." The episode should not, anyway, be seen in isolation but as one half of a movement that has its counterpart in the ironic narration of Tamango's rescue and his life in the regiment.

[2] Many readers of *Tamango* have been reminded of Montesquieu or Voltaire.

expected that his readers would possess an optimistic view with respect to at least one of these races. Any such optimism is thoroughly dashed. As G. Hainsworth has written, with telling succinctness: "The sum of the tale, clearly, sets in parallel savagery and civilization, to the greater glory of neither." Even the behaviour of the Governor of Jamaica does little to relieve this pessimism. He may be thought of as "un homme humain" but his actions are as futile as those of the sailor-interpreter who buys the remaining slaves and sets them free, only to see them scatter "qui de cà, qui de là, fort embarrassés de retourner dans leur pays à deux cents lieues de la côte".[1] For Tamango's career as cymbalist leads not to harmony and happiness but to a life of solitary drinking followed by pneumonia. Alcohol, which makes three appearances at significant moments in the story, would seem to be the only means of relief in this bleak picture of existence. Was Mérimée seeking to make a point? This seems impossible to answer. As is the question of the intended role of *Tamango* in the debate on the slave trade. There is, it is true, evidence of pessimism in Mérimée's character, but we may hesitate before deciding that Mérimée was here trying to put across his own considered opinion. What *is* certain is that he is above all a storyteller striving to create an effect. And that such a uniformly negative attitude produces an effect that is most striking.

An attempt was made in the first part of this Introduction to suggest that analysis of Mérimée's compositions will often be incomplete if we restrict ourselves to the intrinsic interest of the material, the organization of plot, the characteristics of the narrative voice and what is commonly referred to as "style". Such categories leave out of account the formal design of the composition. In the case of *Tamango*, every detail can be seen to have a strictly functional role. A rigorous analysis of the story would show that Mérimée's composition is skilfully built up of varia-

[1] In many ways, the interpreter may be said to resemble the author. Although he is first and foremost a sailor, it is difficult to think of him as such. It is through him that Mérimée presents the reader with much of the erudition he is eager to share. We are clearly meant to think of him as an honest and reasonable man, yet it will be noted that even he is endowed with a contemptuous attitude towards the blacks. In both *La Vénus d'Ille* and *Carmen*, Mérimée will introduce scholarly figures who are much closer still to his own character, even if ultimately we must decide that they are parodic versions of himself.

tions, sometimes ironic in nature, on a limited number of closely related oppositions. Suffice it to say here that the basic structural opposition appears to be that between knowledge and ignorance. Success is the sole criterion for assessment. At the outset, it is indeed said of Ledoux: "peu lui importait de laisser à la côte de Guinée une bonne ou une mauvaise réputation." There is very little about these characters that is not seen in such terms; instead of possessing rounded personalities, the characters exhibit a limited number of features that are set against each other in a formal pattern. The oppositions are not however static but are dramatized in a battle of wits, with Ledoux and Tamango mobilizing their skills and devising strategems in an attempt to achieve supremacy. Put more simply, character in this story is conceived entirely in terms of plot. (In the two more complex stories that follow in our selection, the thematic patterning will achieve a certain independence of plot.) Of course, the reader does not consciously read *Tamango* in terms of these oppositions. He simply receives a satisfying sense of shape and coherence, the purity of an essentially homogeneous composition. It would seem reasonable, however, to expect the student of Mérimée to try to account for the way in which this composition comes to produce such an impression on the reader.

La Vénus d'Ille

Mérimée once claimed that of all his stories *La Vénus d'Ille* was his particular favourite. Completed in April 1837, it was published the following month in the *Revue des Deux Mondes*. The narrator of *La Vénus d'Ille* has the most highly developed role of all such figures in Mérimée's stories, and although we should be alive to the author's sense of humour and resist the conclusion that here is a sincere self-portrait, there are undoubtedly resemblances between the narrator and Mérimée himself. An aside reveals, for example, that the narrator is a novelist as well as a scholar. As for the small town of Ille-sur-la-Têt, Mérimée had been there in 1834, at the end of his tour of inspection of the region's historical monuments. The aging M. de Peyrehorade is modelled on a local historian and archaeologist, Pierre Puigarri (Peyrehorade's future daughter-in-law, it will be noted, is given the name Mlle de Puygarrig), who had had the temerity to find fault with the discussion of Roussillon in Mérimée's *Notes d'un voyage dans le midi de la France*.

The central anecdote of an unwanted alliance between a young man and a female statue in bronze, after the former has placed on one of the fingers of the statue the ring he was supposed to give to his bride, appears to have originated with the 12th century chronicler William of Malmesbury. Other versions of the story abound and Mérimée most probably knew, through his friend Villemain, the Latin version of Hermann Corner. We may be confident, none the less, that, whatever his precise source, the anecdote receives a treatment that is highly individual. In Mérimée's hands, the story becomes a macabre tale of the supernatural, in which the hypothesis that Alphonse is murdered by the statue is never discounted. It has been calculated that the supernatural appears "to a varying extent in seventeen different works" by Mérimée, not all of which, of course, are short stories.[1] Yet by common assent, *La Vénus d'Ille* is the most successful of his attempts at this difficult exercise.

We are bound to ask why Mérimée turned to the supernatural. The story has partly to be seen in the context of the widespread vogue for the *conte fantastique* that followed the translation into French of the tales of Hoffmann, though it might be argued that by 1837 a surfeit of such stories had caused the public to tire of the "fantastic". Some have assumed that it was little more than an attempt by Mérimée to create a sense of fear in the reader, while admitting that, if in his day he was successful in this respect, he is nowadays unlikely to achieve such an effect. There exist many statements by Mérimée that suggest that the fantastic is for him simply a means of diversion and that he does not really entertain the possibility of such phenomena. On the other hand, he had, from an early age, taken a strong interest in the occult, and a case can be made for attributing to him a definite concern with forces that play havoc with conventional (that is, rational) approaches to experience. Thus, in Raitt's eyes, *La Vénus d'Ille* is "an attack on the misplaced values of a society which seeks to deny the existence of such phenomena". While Bowman suggests that for Mérimée, the supernatural is "a manifestation of the irrational and adverse nature of fate". In other words, we are offered radically different interpretations of the author's attitude towards the supernatural. Once again, it seems impossible to pin Mérimée down. It may

---

[1] See the article by Alan S. Rosenthal cited in the bibliography.

however be worth asking whether his precise beliefs are essential to our understanding and appreciation of a story like *La Vénus d'Ille*.

What cannot be denied is Mérimée's ability to make the reader take seriously the narrative he unfolds before us. The conscious nature of his art is apparent from a discussion of the fantastic to be found in his essay on Gogol: "On sait la recette d'un bon conte fantastique: commencez par des portraits bien arrêtés de personnages bizarres, mais possibles, et donnez à leurs traits la réalité la plus minutieuse. Du bizarre au merveilleux, la transition est insensible, et le lecteur se trouvera en plein fantastique avant qu'il se soit aperçu que le monde réel est loin derrière lui." And the critic and novelist Valery Larbaud rightly claimed that in *La Vénus d'Ille* Mérimée had succeeded in giving maximum verisimilitude to a maximum dose of the supernatural. By making a sceptical narrator a participant in the story, the author encourages us to have full confidence in the narration; all others who speak are systematically discredited. There are indeed warning signs but Mérimée makes sure we will not heed them. On each occasion we are encouraged to opt for a perfectly straightforward explanation. Then, after the murder of Alphonse, instead of imposing on the reader a supernatural explanation, Mérimée adopts the more sophisticated device of making us feel that, although there are grounds for feeling unhappy with the two hypotheses presented, we are unable to dismiss either of them. By this stage in the narrative, the statue has been associated with so many misfortunes that the reader may well wonder whether in fact it is not, in some undisclosed way, responsible for the death of Alphonse.[1]

In the end, it has become clear that we are not to be given a solution to the enigma. A celebrated anecdote bears retelling. When asked by a little boy whether it was indeed the statue that had killed Alphonse, Mérimée replied: "Ma foi, mon enfant, je n'en sais rien." In other words, there is no answer. It is not that Mérimée has decided to withhold it from us. And this is where the reader may begin to feel uncertain about the author's intentions. Two reactions seem possible. We may decide that the uncertainty which surrounds the death of Alphonse reflects the essence of all

[1] P-G Castex observes: "Si nous tenons à avoir une explication, nous n'avons pas le choix: nous devons imputer le crime à Vénus."

32

human experience of the supernatural: the supernatural will always defy rational proof. Mérimée may therefore be striving to give us a "sense of the supernatural" by simulating its most basic characteristic. On the other hand, the reference in the final paragraph to the failure of the bell to ward off the destructive frosts, with its hidden allusion to that high-handed satirical trickster, François Rabelais, may be seen as an ironic device that shows Mérimée delighting in making us believe what he wanted us to; it becomes, in other words, evidence for classifying *La Vénus d'Ille* as a hoax. In support of such a view, it has also been pointed out by Anthony Pilkington that there is an unobtrusive reference at the beginning of the story to the unusually severe frost that had destroyed the olive-tree *the year before* the unearthing of the statue. The same critic also questions the reliability of Mérimée's narrator, once the latter begins to take seriously the possibility of a supernatural explanation. But in the final analysis, we are compelled to conclude that Mérimée's precise intentions are shrouded in ambiguity. It is almost as if he has deliberately set out to write a story that can be taken in one of two very different ways.

Yet it is far from certain that the supernatural itself is Mérimée's principal concern in *La Vénus d'Ille*. It may well be a metaphor for less contentious dimensions of human experience. A supernatural fiction will inevitably mobilize certain forces inherent in the workings of the writer's imagination. To this extent, it can be said to be a symbolic mode that allows the writer to express aspects of himself that are not fully present to his conscious self. *La Vénus d'Ille* is, in this respect, no exception. Beyond the creation of a sense of mystery, Mérimée's composition is structured by themes that give his story coherent patterns of meaning that do not depend for their significance on the identification of a precise attitude towards the supernatural.

When the story is approached in this way, it becomes clear that its basic thematic framework consists, not surprisingly, of an opposition between the rational and the irrational. What is more striking, though, is the number of variations on this theme. Associated with the rational, for example, are the precise academic disciplines pursued by the narrator. In contrast, there is a plethora of legends, superstitions, popular beliefs; distorting clichés; the misuse of history; unsound scholarship. Ironically, in view of the outcome of events, the dice are heavily loaded, for much of the story, against the irrational pole. Much more important, however, is the 'deep subject' of the story: the articulation of a deep-rooted response to sexual desire. In a most interesting article, Anne Hiller has revealed the way the story is structured by an ambivalent attitude to desire, a constant association of desire and death. She points out, for example, that the statue is positioned between the garden, symbol of fertility, and uncultivated ground, a symbol of sterility. Moreover, the parallels and differences that unite and separate the statue and Mlle de Puygarrig establish the two female protagonists as "un couple indissociable", and she rightly concludes that in *La Vénus d'Ille*: "La femme est double: conscience claire et versant obscur, nostalgie de l'Ève d'avant la chute et prévision de la femme maléfique." It is an ambiguity that will reappear in *Carmen*.

It is natural that the statue of Venus should dominate an analysis of the thematic structures. Yet the female characters do not exist in isolation. Nor can the function of the members of the opposite sex be taken for granted. In common with many of their counterparts in *Carmen*, the male characters are shown to be unlikely to respond fully to the challenge presented by the object of passion. Whether through choice or inadequacy, they make no attempt to seek self-realization through the satisfaction of desire. The scholars, in particular, function as asexual beings: Peyrehorade is too old— we are told he has little more strength than a chicken, and outside his scholarly enthusiasms he is restricted to the occasional mildly lascivious remark about his daughter-in-law; the narrator is an aging bachelor who pokes fun at his own inappropriate presence at a marriage; the last of the central male protagonists, Alphonse, is nowhere portrayed as the man of passion we might have expected: "Plus touché de la dot que des beaux yeux de sa future", on the day of his marriage he thinks nothing of casting her from his mind and concentrating on a game of pelota. He is a curious mixture of the virile sportsman and the would-be dandy. It is in fact often suggested that Mérimée is punishing the Peyrehorades for taking lightly the workings of passion. Of Alphonse, Valery Larbaud wrote: "La Déesse . . . le punit d'avoir traité légèrement l'amour de la Parisienne qui lui a donné l'autre bague; elle le tue parce qu'il offense sa divinité en faisant un mariage sans amour, un mariage de convenance." A more general point is made by Raitt when he suggests that Mérimée was here concerned to show

that "the provincial middle-classes of early 19th century France
. . . are quite incapable of appreciating the real significance of the
divinity of passion."

If this is the case, it is not clear why the narrator himself should
escape censure. His indifference to passion—"Mais vous êtes un
homme grave et vous ne regardez plus les femmes", says Peyrehorade—is surely an avoidance of the issue. And if another significant opposition in *La Vénus d'Ille* separates the taciturn from
the garrulous, the narrator's restraint is without doubt part of an
attempt to avoid revealing, through his particular manner of
expression, the true nature of his personality. We may conclude
that, once more, the impersonal narration is much more than a
stylistic choice. It represents a position that from only some points
of view is superior to that of Peyrehorade. (In fact, although
Peyrehorade is obviously the butt of the narrator's gentle satire,
there is perhaps a temptation to draw too clear a distinction between these two characters. They are not totally unalike. There is
certainly an endearing side to Peyrehorade in his Rabelaisian relish
for food and scholarship, and, significantly, one of the errors he
perpetrates had been made by Mérimée himself rather than the
pedantic Puigarri.)

But there exists the possibility of an alternative interpretation.
Rather than a fiction directed towards an indictment of the characters' lack of respect for the superior value of passion, *La Vénus
d'Ille* might, in view of the incontestably ambivalent presentation
of the symbolic statue, be seen purely as an attempt to express a
mistrust of an attractive embodiment of passion by showing its
destructive potential. As a result of taking characters who are either
unwilling or unable to match a source of passion with an equally
vigorous emotional response, Mérimée is able to present its effects
in a peculiarly heightened form. At the same time, such an interpretation need not necessarily exclude a deep-seated recognition
by the author that the responses of the male characters in this
symbolic text are, to say the least, unsatisfactory.

Carmen

Carmen was published in the *Revue des Deux Mondes* in October
1845. The first commercial edition of the story appeared in 1847
and included a new chapter in which Mérimée paraded his largely
second-hand knowledge of gypsy culture. This additional chapter

is little more than a learned appendix enlivened by the occasional anecdote. No mention is made of any of the characters in the story that has gone before, nor does the chapter serve as a satisfying reintroduction to the narrator, since it is all too obviously Mérimée himself who is speaking; hitherto, the narrator, despite certain parallels with the author, had functioned as a fictional character. The addition has puzzled many of Mérimée's readers. Maurice Parturier, for example, comments: "Désir d'affirmer ses connaissances philologiques, ou plus simplement de grossir un volume en réalité un peu mince? on ne sait." Others have preferred to see it as an ironic disclaimer, an example of Mérimée's desire to distance himself from the romantic fiction he has created.

One of Mérimée's letters reveals that the origin of *Carmen* is to be found in an anecdote he had been told by Mme de Montijo, the mother of Eugénie, the future wife of Napoleon III, as early as 1830, the date of his first visit to Spain and the *Lettres d'Espagne*, in one of which he first introduced his readers to the bandit José-Maria. A further visit to the country in 1840, together with his longstanding interest in Spanish culture—he interrupted his history of Don Pedro the Cruel in order to write *Carmen*—allowed him to expand the anecdote with a host of details that were both picturesque and accurate; several of his descriptions bear traces of Cervantes and other Spanish authors he enjoyed. The decision to make his central protagonists gypsy and Basque respectively was, it is usually said, in order to avoid giving offence to his Spanish friends. It certainly gave him an opportunity to provide two strands of local colour that were distinct from the central Spanish setting. For all the dismissive comments Mérimée sometimes made about local colour (see, for example, the preface to the second edition of *La Guzla* (1842)) there can be little doubt that his judicious handling of it in *Carmen* is one of the most striking features of the composition.[1] Yet one may speculate whether he would have made his heroine a gypsy had he not had at his disposal two recent volumes by the English missionary George Borrow—*The Zincali* and *The Bible in Spain*—and, to a lesser extent, Pott's *Die Zigeuner in Europa und Asien*; nearly all the details of Romany culture are taken from these works. It seems also that Mérimée had remem-

[1] For an interesting discussion of local colour in Mérimée's writing, see Dale, Chapter IV.

bered Pushkin's poem "The Gypsies", a French translation of which had appeared in 1833.

In respect of its theme, *Carmen* demands to be linked to *La Vénus d'Ille*. Passion is again presented as a destructive force. The opposition between scholarly activities and the workings of passion is once more apparent. A familiar preoccupation is encountered when, frequently, we see the male characters being caught out or laughed at. But since Carmen is not a second bronze statue, Mérimée is free further to explore the resonances of his theme. She may profess to be the devil and she may indulge in magical practices but she never ceases to be first and foremost a woman.[1]

It might be thought that the length of *Carmen* brings this *nouvelle* closer to the form of a short novel. It is true that the characters possess more features than their earlier counterparts, and that the reader, in contrast to his experience of the earlier *nouvelles*, is likely to find himself becoming more involved in the story. But in contrast to the way in which novelists explore the worlds they have created, on no occasion does Mérimée introduce matter that is extraneous to his carefully circumscribed formal design. The title may suggest that Mérimée's subject is relatively open-ended, the nature and behaviour of the gypsy girl. But in fact the subject is much more closely defined and is to be located in the *relationship* between José and Carmen (with parodic variations presented by her "relationships" with the narrator and the English officer) set in contrast with the relationships she has with Lucas and Garcia. When viewed in this way, it is clear that Carmen's success depends on making José believe in her as an almost supernatural figure. And every aspect of José's character is designed to make us aware of his susceptibility. His essentially weak, passive and gullible personality causes him to be the inevitable victim of the myth with which Carmen so expertly surrounds her character. It follows that we never get to know Carmen intimately. We simply see her playing a role. By the end of the story, though, we may feel that she has come to identify with her fictional role. Certainly, her acceptance of death at the hands of José—"tu veux me tuer, je le

---

[1] Henry Malherbe has written: "Ne cherchons pas des significations profondes à *Carmen*. Tenons-nous-en à ce que Mérimée aurait probablement répondu, s'il avait été interrogé là-dessus: il n'a voulu découvrir dans ses personnages que la fatalité et le jeu des passions humaines, le contenu humain, la vérité du cœur humain."

vois bien . . . c'est écrit"—would suggest that, no less than José, she has become a victim of the myth she has created. But until that moment we see her in more or less complete control of their destiny.

Mérimée's subject is particularly suggestive insofar as the relationship between Carmen and José may be seen as mirroring that between the Romantic fiction-maker and his reader. We are, in many ways, as gullible as José, and although we may have an initial suspicion of fiction, of which we have first to be disarmed, we are well disposed towards the seductive myth of Carmen the *femme fatale*. As for the gypsy herself, she is very much a creative figure. Not only is she the motive force behind the plot and the originator of much of the humour in the work, she is a consummate actress and a talented linguist who uses words to very good effect. She is, then, in more than one respect, the analogue of the storyteller. The success of the characterization would seem to come not from Mérimée's psychological perceptiveness but from his profound understanding of what is involved in the writing and reading of fiction and from his devising of a fictional situation that reflects these activities.

Evidence suggests that readers have shown themselves willing to subscribe to the fiction Mérimée has created; there is no doubt that Carmen has become a firmly established exhibit in our gallery of fictional heroines. The use of two narrators is part of a careful process of authentication, and the formula Mérimée applies to the *conte fantastique* (see above) could in fact be illustrated by his own practice in *Carmen*. If we allow ourselves to be seduced by the fiction, we find Mérimée skilfully manipulating our responses to both Carmen and the other characters who come within her orbit. Sympathy and rejection, involvement and detachment are subtly balanced.

At the same time, Mérimée knows very well that even if we are prepared to suspend disbelief, our natural suspicion of fiction is always liable to make itself felt. Certainly, at the end of Carmen, we may feel that we have accepted a story that is not a little far-fetched. Some readers indeed begin to voice objections while still reading of Carmen's exploits, or protest that José is an unlikely brigand. Sainte-Beuve was, however, quick to point out that Mérimée makes it clear that he has not been taken in by his creation; in this critic's eyes, the final chapter constitutes an ironic disclaimer:

"Cela revient à dire, en présence des salons, et avec le sourire que vous savez: 'Bien entendu! ne soyez dupes de mon brigand et de ma bohémienne qu'autant que vous le voudrez'." (It is perhaps one of the most teasing of Mérimée's stories: note, for example, the way we are tricked into believing that José is in fact José-Maria.) Yet Mérimée's irony is more cunning still. For even in the story he has covered himself against the charge of a lack of verisimilitude. To a certain extent, Carmen is, as we have seen, an illusion, a myth of her own creation. She is clearly an exceptionally energetic young woman, but *ultimately* Mérimée is not asking us to believe that she is a *femme fatale* with supernatural powers. It is the two narrators who have permitted her to get away with this fiction. They are gullible and therefore unreliable. (There is much to show that the author-figure, like José, is easily open to suggestion.) In view of this fact, it is difficult for us to charge Mérimée with creating an incredible character. It is indeed Mérimée's ability to render ineffectual any objections we may have to his Romantic fiction, together with his creation of a relationship that mirrors the relationship between reader and text, that allows us both to enjoy the fiction as fiction and maintain a critical detachment from it. In this way he satisfies most fully the double-edged attitude many of us have towards his chosen mode.

"Carmen" as opera

With music by Bizet and a libretto in four acts from Meilhac and Halévy, the opera received its première in Paris in 1875. The authors removed several of Mérimée's characters and replaced them by new creations of their own. Gone, for example, are the narrator, Garcia and the English officer. Micaela, a new character, provides a second major soprano role. (Two small soprano roles are also added, with the creation of two gypsy women, friends of Carmen.) Micaela is the Basque girl from home who is in love with José and is loved by him before he is bewitched by *la Carmencita*. She is, in other words, the type whom Mérimée's José evokes fleetingly, but wistfully, as the antithesis of the forward Andalusian females. A sentimental and moralistic addition that Mérimée would doubtless have abhorred, Micaela makes appearances throughout the opera in an attempt to tear José away from Carmen, though not even the gypsy girl's support for Micaela is enough to make him see reason. Lucas has become Escamillo, and the new toreador has a greatly enlarged role. His initial appearance on the day of José's arrest serves to establish at an early stage a mutual attraction between him and Carmen. The celebrated opera historian Gustave Kobbé suggested that this is preferable to making the toreador "but one of a succession of lovers whom Carmen has had since she ensnared Don José". Preferable in an opera, maybe, but Mérimée knew what he was doing. The Lucas episode reveals most effectively the transient nature of all Carmen's passionate affairs. As she herself says to José: "Oui, je l'ai aimé, comme toi, un instant, moins que toi peut-être. A présent, je n'aime plus rien, et je me hais pour t'avoir aimé."

When viewed alongside Mérimée's *nouvelle*, the libretto is bound to appear rather thin, though a comparison of the two allows us to appreciate still further the richness of the original composition. The action has been considerably simplified, and many of the most piquant incidents in Mérimée's story dispensed with. As for the characterization of José and Carmen, it is much more basic. Carmen is little more than a colourful flirt who tires of José. There is not much evidence of the powers of creativity or cunning that make it impossible for Mérimée's Carmen to live in accordance with the banal categories of everyday life; her role in the activities of the smugglers is greatly reduced. The libretto is in fact much closer to a traditional tale of love and jealousy. In contrast to his predecessor, their José has no deaths on his conscience before he kills Carmen. Lost is the telling streak of self-loathing that is to be found in Mérimée's brigand. Indeed, from a reading of the libretto one realizes just how much of the effectiveness of the original story comes from the retrospective nature of the account given by José, the attitude he adopts towards his own past behaviour and that of the other characters.

Perhaps not surprisingly, the libretto has been dubbed by Raitt "an emasculated and prettified version of Mérimée's tale". Yet Kobbé had no hesitation in proclaiming Meilhac and Halévy's text "admirable", while a leading Bizet scholar, Winton Dean, describes their work as "one of the half-dozen best libretti in operatic history".[1] Their standpoints are obviously not the same. Kobbé goes on to claim that the librettists' "master-stroke is the placing of the scene of the murder just outside the arena where the

[1] Cf. Winton Dean, *Bizet*, 3rd edition (Dent, 1975), p. 212.

bullfight is in progress, and in having Carmen killed by Don José at the moment Escamillo is acclaimed victor by the crowd within". Bizet's score certainly does justice to this dramatic moment, and the scene is just one example of the way the changes carried out by the librettists are so often made in the cause of dramatic interest, or in order to provide the balance required of the Scribean *pièce bien faite*. Mérimée's final scene, on the other hand, is an entirely appropriate illustration of Carmen's acceptance of fate. It allows us to depart aghast at the outcome of his tale and with a strong sense of José's wretchedness. Yet it would never have done as the conclusion to a Romantic opera.[1] It soon becomes apparent, therefore, that in some, though possibly not all, respects, it is unfair to compare the necessarily embryonic libretto with the more sophisticated *nouvelle*. Moreover, one has only to think of the type of effect produced by Mérimée's narrative style to realize that most of the particular qualities of his *nouvelle* could never be transferred to the stage. The demands made of a short story and those made of an opera libretto are fascinatingly different.

Conclusion

To say that the *nouvelles* in our selection are simply stories is to miss much of their uniqueness. Although Mérimée has been careful to select colourful settings for his fiction, he does not stake his success on the sole provision of an exciting plot. On the other hand, although he is fascinated by primitive civilizations, he does not pride himself on the acuteness of his psychological investigations. (Bowman rightly claims that "Mérimée could make any detail psychologically revealing" but such details are usually for dramatic effect and as such are examples of Mérimée's craftsmanship rather than of his profundity as a psychologist. "Les nuances manquent, car les passions, ainsi réduites ou contraintes, sont plus violentes que profondes", says Trahard.) Similarly, although we

---

[1] The version of the opera that is most familiar to modern audiences is the revised version that is, technically, 'grand opera'. The 1875 version had been *opéra comique*. Although this does not imply comic treatment of the story, it did mean that in this first version there was much more dialogue, all of which was taken more or less literally from Mérimée's narrative. The 'grand opera' version replaces the dialogue by recitatives composed by Bizet's friend Ernest Guiraud after the composer's death. See Dean, op. cit., and Georges Bizet, *Carmen*, introduced and translated by Ellen H. Bleiler.

frequently encounter in his work preoccupations that apparently reflect a deep-seated pessimism, there is much to suggest that Mérimée is not giving us his considered point of view but is using the activity of writing fiction as a welcome opportunity to assume extreme attitudes that he would not necessarily accept in other circumstances. His ultimate concern is in fact with the form of his *nouvelles*. This does not become a question of "style"; Mérimée does not display a particularly original use of language (though Walter Pater argued that Mérimée's "impersonality . . . transferred to art, becomes a markedly peculiar quality of literary beauty"). What it does mean, especially in his later stories, is that instead of merely refining a linear narrative, he concentrates on developing a tight and restricted network of thematic structures, thereby conferring on his compositions both substantiality and a sense of pattern. What it also means is an alert and witty, and indeed ironical, treatment of the many paradoxes inherent in the activities of writing and reading works of fiction. At all times, therefore, the critic should be alive to Mérimée's instinctive understanding of the nature of fiction. And to his appreciation of the fact that his stories are going to be read. His constant awareness of the reader's possible reactions encourages him to aim above all at controlling and gratifying his reader, often by subtle, not to say paradoxical or perverse, means. At all times, he has in mind the *effects* of his composition, and his originality is often to be identified with the unusual form of these effects, the unexpected nature of the attitudes adopted towards his chosen material, and the highly individual way in which he treats his own activity as narrator. Our pleasure as readers will indeed often come from the subtle ways in which Mérimée's stories diverge from the Romantic stereotype. At the heart of his writing, however, lies the conviction that the sensitive and intelligent reader is, like the author himself, bound to have an ambivalent attitude towards the fictional. By allowing us both the experience of a Romantic fiction and an ironic detachment from it, instead of giving us merely a straightforward example of a Romantic story, he satisfies this deep-seated ambivalence and ensures that the experience is, as a result of appealing to both intellect and emotions, unusually complete, even if it is not necessarily very profound. In the final analysis, then, although self-expression by the author is never totally banished, Mérimée's fiction is essentially an attempt to provide a more or less pure, and detached, experience of just what a fiction is. Hence both its appeal and its limitations, for its concern with its own nature is bound to prevent it from exploring its subject matter in depth. If, however, we are obliged to conclude that in many cases fiction-making was for Mérimée little more than a game, it should be added that it is a highly subtle and sophisticated game, which, as well as giving rise to an entertaining experience for the reader, is also an invitation to him to understand more fully the apparently natural but by no means straightforward activity of storytelling.

Further Reading

Editions of Mérimée

Carmen, Arsène Guillot, L'Abbé Aubain, ed. Dupouy (Champion, 1927).

Mosaïque, ed. Levaillant (Champion, 1927).

Romans et nouvelles, ed. Parturier, 2 vols (Garnier, 1967).

Théâtre de Clara Gazul, romans et nouvelles, ed. Mallion & Salomon (Gallimard: Pléiade, 1978).

Secondary Reading

R. BASCHET, *Du Romantisme au Second Empire. Mérimée* (Nouvelles Éditions latines, 1959).

G. BIZET, *Carmen*, introduced and translated by Ellen H. Bleiler (Dover, 1970).

P. BOURGET, 'Mérimée nouvelliste' in *Nouvelles Pages de critique et de doctrine*, Vol. I (Plon, 1922).

F. P. BOWMAN, *Prosper Mérimée. Heroism, Pessimism and Irony* (University of California Press, 1962).

ID., 'Narrator and Myth in Mérimée's *Vénus d'Ille*', *French Review*, 1960.

P-G CASTEX, *Le Conte fantastique en France*, 2nd edition (Corti, 1962).

R. C. DALE, *The Poetics of Prosper Mérimée* (Mouton, 1966).

W. DEAN, *Bizet*, 3rd edition (Dent, 1975).

CH. DU BOS, *Notes sur Mérimée* (Messein, 1920).

A. DUPOUY, *'Carmen' de Mérimée* (SFELT, 1930).

A. FILON, *Mérimée* (Hachette, 1898).

M. K. R. GALLAS, 'Mérimée et la théorie de l'art pour l'art', *Neophilologus*, V, 1919–20.

E. GANS, *Un Pari contre l'histoire: les premières nouvelles de Mérimée* (Minard, 1972).

Carmen et autres nouvelles choisies

A. J. GEORGE, *Short Fiction in France 1800–1850* (Syracuse U.P., 1964).

D. L. GOBERT, 'Mérimée Revisited', *Symposium*, Summer 1972.

G. HAINSWORTH, 'West African Local Colour in *Tamango*', *French Studies*, January 1967.

A. HILLER, '*La Vénus d'Ille* de Mérimée: figuration d'un dualisme', *Australian Journal of French Studies*, May–August 1975.

J. W. HOVENKAMP, *Mérimée et la couleur locale* (Les Belles Lettres, 1928).

J. HYTIER, 'Mérimée nouvelliste' in *Les Romans de l'individu* (Les Arts et le Livre, 1928).

R. LETHBRIDGE & M. TILBY, 'Reading Mérimée's *La Double Méprise*', *Modern Language Review*, October 1978.

H. MALHERBE, *Carmen* (Albin Michel, 1951).

A. NAAMAN, '*Mateo Falcone*' de Mérimée (Nizet, 1967).

S. O'FAOLAIN, *The Short Story* (Mercier Press, 1973).

W. PATER, 'Prosper Mérimée' in *Studies in European Literature* (Clarendon Press, 1900).

A. E. PILKINGTON, 'Narrator and Supernatural in Mérimée's *La Vénus d'Ille*', *Nineteenth-Century French Studies*, Fall-Winter 1975–76.

A. W. RAITT, *Prosper Mérimée* (Eyre & Spottiswood, 1970).

I. REID, *The Short Story* (Methuen and Barnes & Noble, 1977).

A. S. ROSENTHAL, 'Mérimée and the Supernatural: Diversion or Obsession?', *Nineteenth-Century French Studies*, May 1973.

J-P SAÏDAH, 'Mérimée et le dandysme', *Europe*, September 1975.

M. A. SMITH, *Prosper Mérimée* (Twayne, 1972).

T. SPOERRI, 'Mérimée and the Short Story', *Yale French Studies*, 4.

M. J. TILBY, 'Language and Sexuality in Mérimée's *Carmen*', *Forum for Modern Language Studies*, July 1979.

P. TRAHARD, *La Jeunesse de Prosper Mérimée 1803–1834* (Champion, 1925).

ID., *Prosper Mérimée de 1834 à 1853* (Champion, 1928).

ID., *La Vieillesse de Prosper Mérimée (1854–1870)* (Champion, 1930).

ID., *Prosper Mérimée et l'art de la nouvelle*, 4th edition (Nizet, 1952).

S. ULLMANN, *Style in the French Novel* (Cambridge U.P., 1957), pp. 53–58.

Note

Footnotes designated by Arabic numerals are by Mérimée himself. Asterisked words and expressions are dealt with in the Notes section beginning on page 163.

Mateo Falcone

En sortant de Porto-Vecchio* et se dirigeant au nord-ouest, vers
l'intérieur de l'île, on voit le terrain s'élever assez rapidement, et
après trois heures de marche par des sentiers tortueux, obstrués
par de gros quartiers de rocs, et quelquefois coupés par des ravins,
on se trouve sur le bord d'un *maquis** très étendu. Le maquis est
la patrie des bergers corses et de quiconque s'est brouillé avec la
justice. Il faut savoir que le laboureur corse, pour s'épargner la
peine de fumer* son champ, met le feu à une certaine étendue de
bois: tant pis si la flamme se répand plus loin que besoin n'est;
arrive que pourra*; on est sûr d'avoir une bonne récolte en semant
sur cette terre fertilisée par les cendres des arbres qu'elle portait.
Les épis enlevés, car on laisse la paille, qui donnerait de la peine
à recueillir, les racines qui sont restées en terre sans se consumer*
poussent au printemps suivant, des cépées* très épaisses qui, en
peu d'années, parviennent à une hauteur de sept ou huit pieds*.
C'est cette manière de taillis fourré* que l'on nomme maquis.
Différentes espèces d'arbres et d'arbrisseaux le composent, mêlés
et confondus comme il plaît à Dieu. Ce n'est que la hache à la
main que l'homme s'y ouvrirait un passage, et l'on voit des maquis
si épais et si touffus, que les mouflons* eux-mêmes ne peuvent
y pénétrer.

Si vous avez tué un homme, allez dans le maquis de Porto-
Vecchio, et vous y vivrez en sûreté, avec un bon fusil, de la
poudre et des balles; n'oubliez pas un manteau brun garni d'un
capuchon[1], qui sert de couverture et de matelas. Les bergers vous
donnent du lait, du fromage et des châtaignes, et vous n'aurez rien
à craindre de la justice ou des parents* du mort, si ce n'est quand
il vous faudra descendre à la ville pour y renouveler vos munitions.

[1] Pilone.

Mateo Falcone, quand j'étais en Corse en 18.., avait sa maison à une demi-lieue* de ce maquis. C'était un homme assez riche pour le pays; vivant noblement, c'est-à-dire sans rien faire, du produit de ses troupeaux, que des bergers, espèces de nomades, menaient paître çà et là sur les montagnes. Lorsque je le vis, deux années après l'événement que je vais raconter, il me parut âgé de cinquante ans tout au plus. Figurez-vous un homme petit, mais robuste, avec des cheveux crépus, noirs comme le jais, un nez aquilin, les lèvres minces, les yeux grands et vifs, et un teint couleur de revers de botte*. Son habileté au tir du fusil passait pour extraordinaire, même dans son pays, où il y a tant de bons tireurs. Par exemple, Mateo n'aurait jamais tiré sur un mouflon avec des chevrotines; mais, à cent vingt pas, il l'abattait d'une balle dans la tête ou dans l'épaule, à son choix. La nuit, il se servait de ses armes aussi facilement que le jour, et l'on m'a cité de lui ce trait d'adresse qui paraîtra peut-être incroyable à qui n'a pas voyagé en Corse. A quatre-vingts pas, on plaçait une chandelle allumée derrière un transparent de papier,* large comme une assiette. Il mettait en joue, puis on éteignait la chandelle, et, au bout d'une minute dans l'obscurité la plus complète, il tirait et perçait le transparent trois fois sur quatre.

Avec un mérite aussi transcendant* Mateo Falcone s'était attiré une grande réputation. On le disait aussi bon ami que dangereux ennemi: d'ailleurs serviable et faisant l'aumône, il vivait en paix avec tout le monde dans le district de Porto-Vecchio. Mais on contait de lui qu'à Corte,* où il avait pris femme, il s'était débarrassé fort vigoureusement d'un rival qui passait pour aussi redoutable en guerre qu'en amour: du moins on attribuait à Mateo certain coup de fusil qui surprit ce rival comme il était à se raser devant un petit miroir pendu à sa fenêtre. L'affaire assoupie,* Mateo se maria. Sa femme Giuseppa lui avait donné d'abord trois filles (dont il enrageait), et enfin un fils, qu'il nomma Fortunato: c'était l'espoir de sa famille, l'héritier du nom. Les filles étaient bien mariées: leur père pouvait compter au besoin sur les poignards et les escopettes de ses gendres. Le fils n'avait que dix ans, mais il annonçait déjà d'heureuses dispositions.*

Un certain jour d'automne, Mateo sortit de bonne heure avec sa femme pour aller visiter* un de ses troupeaux dans une clairière du maquis. Le petit Fortunato voulait l'accompagner, mais la clairière était trop loin; d'ailleurs, il fallait bien que quelqu'un restât pour garder la maison; le père refusa donc; on verra s'il n'eut pas lieu de s'en repentir.

Il était absent depuis quelques heures et le petit Fortunato était tranquillement étendu au soleil, regardant les montagnes bleues, et pensant que, le dimanche prochain, il irait dîner à la ville, chez son oncle le *caporal*[1] quand il fut soudainement interrompu dans ses méditations par l'explosion d'une arme à feu. Il se leva et se tourna du côté de la plaine d'où partait ce bruit. D'autres coups de fusil se succédèrent, tirés à intervalles inégaux, et toujours de plus en plus rapprochés; enfin, dans le sentier qui menait de la plaine à la maison de Mateo parut un homme, coiffé d'un bonnet pointu comme en portent les montagnards, barbu, couvert de haillons, et se traînant avec peine en s'appuyant sur son fusil. Il venait de recevoir un coup de feu dans la cuisse.

Cet homme était un bandit[2], qui étant parti de nuit pour aller chercher de la poudre à la ville, était tombé en route dans une embuscade de voltigeurs corses[3]. Après une vigoureuse défense, il était parvenu à faire sa retraite, vivement poursuivi et tiraillant de rocher en rocher. Mais il avait peu d'avance sur les soldats et sa blessure le mettait hors d'état de gagner le maquis avant d'être rejoint.

Il s'approcha de Fortunato et lui dit:

«Tu es le fils de Mateo Falcone?

—Oui.

—Moi, je suis Gianetto Sanpiero. Je suis poursuivi par les collets jaunes[4]. Cache-moi, car je ne puis aller plus loin.

—Et que dira mon père si je te cache sans sa permission?

—Il dira que tu as bien fait.

—Qui sait?

—Cache-moi vite; ils viennent.

---

[1] Les caporaux furent autrefois les chefs que se donnèrent les communes corses quand elles s'insurgèrent contre les seigneurs féodaux. Aujourd'hui, on donne encore quelquefois ce nom à un homme qui, par ses propriétés, ses alliances et sa clientèle,* exerce une influence et une sorte de magistrature effective sur une *pieve* ou un canton. Les Corses se divisent, par une ancienne habitude, en cinq castes: les *gentilshommes* (dont les uns sont *magnifiques*, les autres *signori*), les *caporali*, les *citoyens*, les *plébéiens* et les *étrangers*.

[2] Ce mot est ici synonyme de proscrit.

[3] C'est un corps levé depuis peu d'années par le gouvernement, et qui sert concurremment avec la gendarmerie au maintien de la police.

[4] L'uniforme des voltigeurs était alors un habit brun avec un collet jaune.

—Attends que mon père soit revenu.

—Que j'attende?* malédiction! Ils seront ici dans cinq minutes. Allons, cache-moi, ou je te tue.»

Fortunato lui répondit avec le plus grand sang-froid:

«Ton fusil est déchargé, et il n'y a plus de cartouches dans ta carchera¹.

—J'ai mon stylet.

—Mais courras-tu aussi vite que moi?»

Il fit un saut, et se mit hors d'atteinte.

«Tu n'es pas le fils de Mateo Falcone! Me laisseras-tu donc arrêter* devant ta maison?»

L'enfant parut touché.

«Que me donneras-tu si je te cache?» dit-il en se rapprochant.

Le bandit fouilla dans une poche de cuir qui pendait à sa ceinture, et il en tira une pièce de cinq francs qu'il avait réservée sans doute pour acheter de la poudre. Fortunato sourit à la vue de la pièce d'argent; il s'en saisit, et dit à Gianetto:

«Ne crains rien.»

Aussitôt il fit un grand trou dans un tas de foin* placé auprès de la maison. Gianetto s'y blottit, et l'enfant le recouvrit de manière à lui laisser un peu d'air pour respirer, sans qu'il fût possible cependant de soupçonner que ce foin cachât un homme. Il s'avisa, de plus, d'une finesse de sauvage assez ingénieuse. Il alla prendre une chatte et ses petits, et les établit sur le tas de foin pour faire croire qu'il n'avait pas été remué depuis peu. Ensuite, remarquant des traces de sang sur le sentier près de la maison, il les couvrit de poussière avec soin, et cela fait, il se recoucha au soleil avec la plus grande tranquillité.

Quelques minutes après, six hommes en uniforme brun à collet jaune, et commandés par un adjudant,* étaient devant la porte de Mateo. Cet adjudant était quelque peu parent* de Falcone. (On sait qu'en Corse on suit les degrés de parenté beaucoup plus loin qu'ailleurs.) Il se nommait Tiodoro Gamba: c'était un homme actif, fort redouté des bandits dont il avait déjà traqué plusieurs.

«Bonjour, petit cousin, dit-il à Fortunato en l'abordant; comme te voilà grandi! As-tu vu passer un homme tout à l'heure?

—Oh! je ne suis pas encore si grand que vous, mon cousin, répondit l'enfant d'un air niais.

¹ Ceinture de cuir qui sert de giberne et de portefeuille.

52

—Cela viendra. Mais n'as-tu pas vu passer un homme, dis-moi?

—Si j'ai vu passer un homme?*

—Oui, un homme avec un bonnet pointu en velours noir, et une veste brodée de rouge et de jaune?

—Un homme avec un bonnet pointu, et une veste brodée de rouge et de jaune?

—Oui, réponds vite, et ne répète pas mes questions.

—Ce matin, M. le curé est passé devant notre porte, sur son cheval Piero. Il m'a demandé comment papa se portait, et je lui ai répondu . . .

—Ah! petit drôle, tu fais le malin!* Dis-moi vite par où est passé Gianetto, car c'est lui que nous cherchons; et, j'en suis certain, il a pris par ce sentier.

—Qui sait?

—Qui sait? C'est moi qui sais que tu l'as vu.

—Est-ce qu'on voit les passants quand on dort?

—Tu ne dormais pas, vaurien; les coups de fusil t'ont réveillé.

—Vous croyez donc, mon cousin, que vos fusils font tant de bruit? L'escopette de mon père en fait bien davantage.

—Que le diable te confonde, maudit garnement! Je suis bien sûr que tu as vu le Gianetto. Peut-être même l'as-tu caché. Allons, camarades, entrez dans cette maison, et voyez si notre homme n'y est pas. Il n'allait plus que d'une patte,* et il a trop de bon sens, le coquin, pour avoir cherché à gagner le maquis en clopinant. D'ailleurs, les traces de sang s'arrêtent ici.

—Et que dira papa? demanda Fortunato en ricanant; que dira-t-il s'il sait qu'on est entré dans sa maison pendant qu'il était sorti?

—Vaurien! dit l'adjudant Gamba en le prenant par l'oreille, sais-tu qu'il ne tient qu'à moi de te faire changer de note*? Peut-être qu'en te donnant une vingtaine de coups de plat de sabre tu parleras enfin.»

Et Fortunato ricanait toujours.

«Mon père est Mateo Falcone! dit-il avec emphase.

—Sais-tu bien, petit drôle, que je puis t'emmener à Corte ou à Bastia*. Je te ferai coucher dans un cachot, sur la paille, les fers aux pieds, et je te ferai guillotiner si tu ne dis où est Gianetto Sanpiero.»

L'enfant éclata de rire à cette ridicule menace. Il répéta:

«Mon père est Mateo Falcone!

—Adjudant, dit tout bas un des voltigeurs, ne nous brouillons pas avec Mateo.»

Gamba paraissait évidemment embarrassé*. Il causait à voix basse avec ses soldats, qui avaient déjà visité* toute la maison. Ce n'était pas une opération fort longue, car la cabane d'un Corse ne consiste qu'en une seule pièce carrée. L'ameublement se compose d'une table, de bancs, de coffres et d'ustensiles de chasse ou de ménage. Cependant le petit Fortunato caressait sa chatte, et semblait jouir malignement de la confusion des voltigeurs et de son cousin.

Un soldat s'approcha du tas de foin. Il vit la chatte, et donna un coup de baïonnette dans le foin avec négligence*, et haussant les épaules, comme s'il sentait que sa précaution était ridicule. Rien ne remua; et le visage de l'enfant ne trahit pas la plus légère émotion.

L'adjudant et sa troupe se donnaient au diable*; déjà ils regardaient sérieusement du côté de la plaine, comme disposés à s'en retourner par où ils étaient venus, quand leur chef, convaincu que les menaces ne produiraient aucune impression sur le fils de Falcone*, voulut faire un dernier effort et tenter le pouvoir des caresses et des présents.

«Petit cousin, dit-il, tu me parais un gaillard bien éveillé*! Tu iras loin. Mais tu joues un vilain jeu avec moi; et, si je ne craignais de faire de la peine à mon cousin Mateo, le diable m'emporte! je t'emmènerais avec moi.

—Bah!

—Mais, quand mon cousin sera revenu, je lui conterai l'affaire, et pour ta peine d'avoir menti*, il te donnera le fouet jusqu'au sang.

—Savoir?*

—Tu verras . . . Mais tiens* . . . sois brave* garçon, et je te donnerai quelque chose.

—Moi, mon cousin, je vous donnerai un avis: c'est que, si vous tardez davantage, le Gianetto sera dans le maquis, et alors il faudra plus d'un luron comme vous pour aller l'y chercher.»

L'adjudant tira de sa poche une montre d'argent qui valait bien dix écus*; et, remarquant que les yeux du petit Fortunato étincelaient en la regardant, il lui dit en tenant la montre suspendue au bout de sa chaîne d'acier:

«Fripon! tu voudrais bien avoir une montre comme celle-ci suspendue à ton col, et tu te promènerais dans les rues de Porto-Vecchio, fier comme un paon; et les gens te demanderaient: «Quelle heure est-il?» et tu leur dirais: «Regardez à ma montre.»

—Quand je serai grand, mon oncle le caporal me donnera une montre.

—Oui; mais le fils de ton oncle en a déjà une . . . pas aussi belle que celle-ci, à la vérité . . . Cependant il est plus jeune que toi.»

L'enfant soupira.

«Eh bien, la veux-tu cette montre, petit cousin?»

Fortunato, lorgnant la montre du coin de l'œil, ressemblait à un chat à qui l'on présente un poulet tout entier. Et comme il sent qu'on se moque de lui, il n'ose y porter la griffe, et de temps en temps il détourne les yeux pour ne pas s'exposer à succomber à la tentation; mais il se lèche les babines à tout moment, il a l'air de dire à son maître: «Que votre plaisanterie est cruelle!»

Cependant l'adjudant Gamba semblait de bonne foi en présentant sa montre. Fortunato n'avança pas la main; mais il lui dit avec un sourire amer:

«Pourquoi vous moquez-vous de moi?[1]

—Par Dieu! je ne me moque pas. Dis-moi seulement où est Gianetto, et cette montre est à toi.»

Fortunato laissa échapper un sourire d'incrédulité; et, fixant ses yeux noirs sur ceux de l'adjudant, il s'efforçait d'y lire la foi qu'il devait avoir en ses paroles.

«Que je perde mon épaulette*, s'écria l'adjudant, si je ne te donne pas la montre à cette condition! Les camarades sont témoins; et je ne puis m'en dédire.»

En parlant ainsi, il approchait toujours la montre, tant qu'elle touchait presque la joue pâle de l'enfant. Celui-ci montrait bien sur sa figure le combat que se livraient en son âme la convoitise et le respect dû à l'hospitalité. Sa poitrine nue se soulevait avec force, et il semblait près d'étouffer. Cependant la montre oscillait, tournait, et quelquefois lui heurtait le bout du nez. Enfin, peu à peu, sa main droite s'éleva vers la montre: le bout de ses doigts la toucha; et elle pesait tout entière dans sa main sans que l'adjudant lâchât pourtant le bout de la chaîne . . . Le cadran était azuré . . . la boîte* nouvellement fourbie . . . au soleil, elle paraissait toute de feu* . . . La tentation était trop forte.

[1] *Perchè me c . . . .?*

Fortunato éleva aussi sa main gauche, et indiqua du pouce, par-dessus son épaule, le tas de foin auquel il était adossé. L'adjudant le comprit aussitôt. Il abandonna l'extrémité de la chaîne; Fortunato se sentit seul possesseur de la montre. Il se leva avec l'agilité d'un daim, et s'éloigna de dix pas du tas de foin, que les voltigeurs se mirent aussitôt à culbuter.

On ne tarda pas à voir le foin s'agiter; et un homme sanglant, le poignard à la main, en sortit; mais, comme il essayait de se lever en pied,* sa blessure refroidie ne lui permit plus de se tenir debout. Il tomba. L'adjudant se jeta sur lui et lui arracha son stylet. Aussitôt on le garrotta fortement malgré sa résistance.

Gianetto, couché par terre et lié comme un fagot, tourna la tête vers Fortunato qui s'était rapproché.

«Fils de . . .!»* lui dit-il avec plus de mépris que de colère.

L'enfant lui jeta la pièce d'argent qu'il en avait reçue, sentant qu'il avait cessé de la mériter; mais le proscrit n'eut pas l'air de faire attention à ce mouvement. Il dit avec beaucoup de sang-froid à l'adjudant:

«Mon cher Gamba, je ne puis marcher; vous allez être obligé de me porter à la ville.

—Tu courais tout à l'heure plus vite qu'un chevreuil, repartit le cruel vainqueur; mais sois tranquille: je suis si content de te tenir, que je te porterais une lieue sur mon dos sans être fatigué. Au reste, mon camarade, nous allons te faire une litière avec des branches et ta capote; et à la ferme de Crespoli nous trouverons des chevaux.

—Bien, dit le prisonnier; vous mettrez aussi un peu de paille sur votre litière, pour que je sois plus commodément.»*

Pendant que les voltigeurs s'occupaient, les uns à faire une espèce de brancard avec des branches de châtaignier, les autres à panser la blessure de Gianetto, Mateo Falcone et sa femme parurent tout d'un coup au détour d'un sentier qui conduisait au maquis. La femme s'avançait courbée péniblement sous le poids d'un énorme sac de châtaignes, tandis que son mari se prélassait,* ne portant qu'un fusil à la main et un autre en bandoulière; car il est indigne d'un homme de porter d'autre fardeau que ses armes.

A la vue des soldats, la première pensée de Mateo fut qu'ils venaient pour l'arrêter. Mais pourquoi cette idée? Mateo avait-il donc quelques démêlés avec la justice? Non. Il jouissait d'une bonne réputation. C'était comme on dit, *un particulier bien famé;**

mais il était Corse et montagnard, et il y a peu de Corses montagnards qui, en scrutant bien leur mémoire, n'y trouvent quelque peccadille, telle que coups de fusil, coups de stylet et autres bagatelles. Mateo, plus qu'un autre, avait la conscience nette; car depuis plus de dix ans il n'avait dirigé son fusil contre un homme; mais toutefois il était prudent, et il se mit en posture de faire une belle défense, s'il en était besoin.

«Femme, dit-il à Giuseppa, mets bas ton sac et tiens-toi prête.»

Elle obéit sur-le-champ. Il lui donna le fusil qu'il avait en bandoulière et qui aurait pu le gêner. Il arma celui qu'il avait à la main, et il s'avança lentement vers sa maison, longeant les arbres qui bordaient le chemin, et prêt, à la moindre démonstration hostile, à se jeter derrière le plus gros tronc, d'où il aurait pu faire feu à couvert. Sa femme marchait sur ses talons, tenant son fusil de rechange et sa giberne. L'emploi d'une bonne ménagère, en cas de combat, est de charger les armes de son mari.

D'un autre côté, l'adjudant était fort en peine* en voyant Mateo s'avancer ainsi, à pas comptés, le fusil en avant et le doigt sur la détente.

«Si par hasard, pensa-t-il, Mateo se trouvait parent de Gianetto, ou s'il était son ami, et qu'il voulût le défendre,* les bourres* de ses deux fusils arriveraient à deux d'entre nous, aussi sûr qu'une lettre à la poste, et s'il me visait, nonobstant la parenté! . . .»

Dans cette perplexité, il prit un parti fort courageux, ce fut de s'avancer seul vers Mateo pour lui conter l'affaire, en l'abordant comme une vieille connaissance; mais le court intervalle qui le séparait de Mateo lui parut terriblement long.

«Holà! eh! mon vieux camarade, criait-il, comment cela va-t-il, mon brave? C'est moi, je suis Gamba, ton cousin.»

Mateo, sans répondre un mot, s'était arrêté, et, à mesure que l'autre parlait, il relevait doucement le canon de son fusil, de sorte qu'il était dirigé vers le ciel au moment où l'adjudant le joignit.

«Bonjour, frère,[1] dit l'adjudant en lui tendant la main. Il y a bien longtemps que je ne t'ai vu.

—Bonjour, frère!

—J'étais venu pour te dire bonjour en passant, et à ma cousine Pepa.* Nous avons fait une longue traite aujourd'hui; mais il ne

---

[1] *Buon giorno, fratello,* salut ordinaire des Corses.

faut pas plaindre notre fatigue, car nous avons fait une fameuse prise. Nous venons d'empoigner Gianetto Sanpiero.

—Dieu soit loué! s'écria Giuseppa. Il nous a volé une chèvre laitière la semaine passée.»

Ces mots réjouirent Gamba.

«Pauvre diable! dit Mateo, il avait faim.

—Le drôle s'est défendu comme un lion, poursuivit l'adjudant un peu mortifié; il m'a tué un de mes voltigeurs, et, non content de cela, il a cassé le bras au caporal Chardon; mais il n'y a pas grand mal, ce n'était qu'un Français* . . . Ensuite, il s'était si bien caché, que le diable ne l'aurait pu découvrir.* Sans mon petit cousin Fortunato, je ne l'aurais jamais pu trouver.

—Fortunato! s'écria Mateo.

—Fortunato! répéta Giuseppa.

—Oui, le Gianetto s'était caché sous ce tas de foin là-bas; mais mon petit cousin m'a montré la malice.* Aussi je le dirai à son oncle le caporal, afin qu'il lui envoie un beau cadeau pour sa peine. Et son nom et le tien seront dans le rapport que j'enverrai à M. l'avocat général.

—Malédiction!» dit tout bas Mateo.

Ils avaient rejoint le détachement. Gianetto était déjà couché sur la litière et prêt à partir. Quand il vit Mateo en la compagnie de Gamba, il sourit d'un sourire étrange; puis, se tournant vers la porte de la maison, il cracha sur le seuil en disant:

«Maison d'un traître!»

Il n'y avait qu'un homme décidé à mourir qui eût osé prononcer le mot de traître en l'appliquant à Falcone. Un bon coup de stylet, qui n'aurait pas eu besoin d'être répété, aurait immédiatement payé l'insulte. Cependant Mateo ne fit pas d'autre geste que celui de porter sa main à son front comme un homme accablé.

Fortunato était entré dans la maison en voyant arriver son père. Il reparut bientôt avec une jatte de lait, qu'il présenta les yeux baissés à Gianetto.

«Loin de moi!» lui cria le proscrit d'une voix foudroyante.

Puis, se tournant vers un des voltigeurs:

«Camarade, donne-moi à boire», dit-il.

Le soldat remit sa gourde entre ses mains, et le bandit but l'eau que lui donnait un homme avec lequel il venait d'échanger des coups de fusil. Ensuite il demanda qu'on lui attachât les mains de manière qu'il les eût croisées sur sa poitrine, au lieu de les avoir liées derrière le dos.

«J'aime, disait-il, à être couché à mon aise.»

On s'empressa de le satisfaire; puis l'adjudant donna le signal du départ, dit adieu à Mateo, qui ne lui répondit pas, et descendit au pas accéléré vers la plaine.

Il se passa près de dix minutes avant que Mateo ouvrît la bouche. L'enfant regardait d'un œil inquiet tantôt sa mère et tantôt son père, qui, s'appuyant sur son fusil, le considérait avec une expression de colère concentrée.

«Tu commences bien! dit enfin Mateo d'une voix calme, mais effrayante pour qui connaissait l'homme.

—Mon père!» s'écria l'enfant en s'avançant les larmes aux yeux comme pour se jeter à ses genoux.

Mais Mateo lui cria:

«Arrière de moi!»

Et l'enfant s'arrêta et sanglota, immobile, à quelques pas de son père.

Giuseppa s'approcha. Elle venait d'apercevoir la chaîne de la montre, dont un bout sortait de la chemise de Fortunato.

«Qui t'a donné cette montre? demanda-t-elle d'un air sévère.

—Mon cousin l'adjudant.»

Falcone saisit la montre, et, la jetant avec force contre une pierre, il la mit en mille pièces.

«Femme, dit-il, cet enfant est-il de moi?»

Les joues brunes de Giuseppa devinrent d'un rouge de brique.

«Que dis-tu, Mateo? et sais-tu bien à qui tu parles?

—Eh bien, cet enfant est le premier de sa race qui ait fait une trahison.»

Les sanglots et les hoquets de Fortunato redoublèrent, et Falcone tenait ses yeux de lynx toujours attachés sur lui. Enfin il frappa la terre de la crosse de son fusil, puis le jeta sur son épaule et reprit le chemin du maquis en criant à Fortunato de le suivre. L'enfant obéit.

Giuseppa courut après Mateo et lui saisit le bras.

«C'est ton fils, lui dit-elle d'une voix tremblante en attachant ses yeux noirs sur ceux de son mari, comme pour lire ce qui se passait dans son âme.

—Laisse-moi, répondit Mateo: je suis son père.»

Giuseppa embrassa son fils et entra en pleurant dans sa cabane.

Elle se jeta à genoux devant une image de la Vierge et pria avec ferveur. Cependant Falcone marcha quelque deux cents pas dans le sentier et ne s'arrêta que dans un petit ravin où il descendit. Il sonda la terre avec la crosse de son fusil et la trouva molle et facile à creuser. L'endroit lui parut convenable pour son dessein.

«Fortunato, va auprès de cette grosse pierre.»

L'enfant fit ce qu'il lui commandait, puis il s'agenouilla.

«Dis tes prières.

—Mon père, mon père, ne me tuez pas.

—Dis tes prières!» répéta Mateo d'une voix terrible.

L'enfant, tout en balbutiant et en sanglotant, récita le *Pater* et le *Credo*. Le père, d'une voix forte, répondait *Amen!* à la fin de chaque prière.

«Sont-ce là toutes les prières que tu sais?

—Mon père, je sais encore l'*Ave Maria* et la litanie que ma tante m'a apprise.

—Elle est bien longue, n'importe.»

L'enfant acheva la litanie d'une voix éteinte.

«As-tu fini?

—Oh! mon père, grâce! pardonnez-moi! Je ne le ferai plus! Je prierai tant mon cousin* le caporal qu'on fera grâce au Gianetto!»

Il parlait encore; Mateo avait armé son fusil et le couchait en joue en lui disant:

«Que Dieu te pardonne!»

L'enfant fit un effort désespéré pour se relever et embrasser les genoux de son père; mais il n'en eut pas le temps. Mateo fit feu, et Fortunato tomba roide mort.*

Sans jeter un coup d'œil sur le cadavre, Mateo reprit le chemin de sa maison pour aller chercher une bêche afin d'enterrer son fils. Il avait fait à peine quelques pas qu'il rencontra Giuseppa, qui accourait alarmée du coup de feu.

«Qu'as-tu fait? s'écria-t-elle.

—Justice.

—Où est-il?

—Dans le ravin. Je vais l'enterrer. Il est mort en chrétien; je lui ferai chanter une messe.* Qu'on dise à mon gendre Tiodoro Bianchi de venir demeurer avec nous.»

1829

Tamango

Le capitaine Ledoux* était un bon marin. Il avait commencé par
être simple matelot, puis il devint aide-timonier.* Au combat de
Trafalgar,* il eut la main gauche fracassée par un éclat de bois; il
fut amputé, et congédié ensuite avec de bons certificats. Le repos
ne lui convenait guère, et, l'occasion de se rembarquer se présentant, il servit, en qualité de second lieutenant, à bord d'un corsaire.
L'argent qu'il retira de quelques prises* lui permit d'acheter des
livres et d'étudier la théorie de la navigation, dont il connaissait
déjà parfaitement la pratique. Avec le temps, il devint capitaine
d'un lougre* corsaire de trois canons et de soixante hommes d'é-
quipages et les caboteurs de Jersey conservent encore le souvenir
de ses exploits. La paix* le désola: il avait amassé pendant la
guerre une petite fortune, qu'il espérait augmenter aux dépens
des Anglais. Force lui fut d'offrir ses services à de pacifiques
négociants; et, comme il était connu pour un homme de résolution et d'expérience, on lui confia facilement un navire. Quand
la traite* des nègres fut défendue, et que, pour s'y livrer, il fallut
non seulement tromper la vigilance des douaniers français, ce qui
n'était pas très difficile, mais encore, et c'était le plus hasardeux,
échapper aux croiseurs anglais, le capitaine Ledoux devint un
homme précieux pour les trafiquants de bois d'ébène[1].

Bien différent de la plupart des marins qui ont langui longtemps
comme lui dans les postes subalternes, il n'avait point cette horreur
profonde des innovations, et cet esprit de routine qu'ils apportent
trop souvent dans les grades supérieurs. Le capitaine Ledoux, au
contraire, avait été le premier à recommander à son armateur
l'usage des caisses en fer, destinées à contenir et conserver l'eau.
A son bord, les menottes et les chaînes, dont les bâtiments*

[1] Nom que se donnent eux-mêmes les gens qui font la traite.

négriers ont provision, étaient fabriquées d'après un système nouveau, et soigneusement vernies pour les préserver de la rouille. Mais ce qui lui fit le plus d'honneur parmi les marchands d'esclaves, ce fut la construction, qu'il dirigea lui-même, d'un brick* destiné à la traite, fin voilier, étroit, long comme un bâtiment de guerre, et cependant capable de contenir un très grand nombre de Noirs. Il le nomma *L'Espérance.** Il voulut que les entreponts, étroits et rentrés,* n'eussent que trois pieds quatre pouces de haut, prétendant que cette dimension permettait aux esclaves de taille raisonnable d'être commodément assis; et quel besoin ont-ils de se lever?

«Arrivés aux colonies, disait Ledoux, ils ne resteront que trop sur leurs pieds!»

Les Noirs, le dos appuyé aux bordages du navire, et disposés sur deux lignes parallèles, laissaient entre leurs pieds un espace vide, qui, dans tous les autres négriers, ne sert qu'à la circulation. Ledoux imagina de placer dans cet intervalle d'autres Nègres, couchés perpendiculairement aux premiers. De la sorte, son navire contenait une dizaine de Nègres de plus qu'un autre de même tonnage. A la rigueur, on aurait pu en placer davantage; mais il faut avoir de l'humanité, et laisser à un Nègre au moins cinq pieds en longueur et deux en largeur pour s'ébattre pendant une traversée de six semaines et plus: «Car enfin, disait Ledoux à son armateur pour justifier cette mesure libérale, les Nègres, après tout, sont des hommes comme les Blancs.»

L'Espérance partit de Nantes* un vendredi,* comme le remarquèrent depuis des gens superstitieux. Les inspecteurs, qui visitèrent scrupuleusement le brick, ne découvrirent pas six grandes caisses remplies de chaînes, de menottes, et de ces fers que l'on nomme, je ne sais pourquoi, *barres de justice.** Ils ne furent point étonnés non plus de l'énorme provision d'eau que devait porter *L'Espérance*, qui, d'après ses papiers, n'allait qu'au Sénégal pour y faire le commerce de bois et d'ivoire. La traversée n'est pas longue, il est vrai, mais enfin le trop de précautions ne peut nuire. Si l'on était surpris par un calme, que deviendrait-on sans eau?

L'Espérance partit donc un vendredi, bien gréée et bien équipée de tout. Ledoux aurait voulu peut-être des mâts un peu plus solides; cependant tant qu'il commanda le bâtiment, il n'eut point à s'en plaindre. Sa traversée fut heureuse et rapide jusqu'à la côte d'Afrique. Il mouilla dans la rivière de Joale* (je crois) dans un moment où les croiseurs anglais ne surveillaient point cette partie de la côte. Des courtiers* du pays vinrent aussitôt à bord. Le moment était on ne peut plus favorable; Tamango, guerrier fameux et vendeur d'hommes, venait de conduire à la côte une grande quantité d'esclaves; et il s'en défaisait à bon marché, en homme qui se sent la force et les moyens d'approvisionner promptement la place,* aussitôt que les objets de son commerce y deviennent rares.

Le capitaine Ledoux se fit descendre sur le rivage, et fit sa visite à Tamango. Il le trouva dans une case en paille qu'on lui avait élevée à la hâte, accompagné de ses deux femmes et de quelques sous-marchands et conducteurs d'esclaves. Tamango s'était paré pour recevoir le capitaine blanc. Il était vêtu d'un vieil habit d'uniforme bleu, ayant encore les galons de caporal; mais sur chaque épaule pendaient deux épaulettes d'or attachées au même bouton, et ballottant, l'une par-devant, l'autre par-derrière. Comme il n'avait pas de chemise, et que l'habit était un peu court pour un homme de sa taille, on remarquait entre les revers blancs de l'habit et son caleçon de toile de Guinée* une bande considérable de peau noire qui ressemblait à une large ceinture. Un grand sabre de cavalerie était suspendu à son côté au moyen d'une corde, et il tenait à la main un beau fusil à deux coups, de fabrique anglaise. Ainsi équipé, le guerrier africain croyait surpasser en élégance le petit-maître* le plus accompli de Paris ou de Londres.

Le capitaine Ledoux le considéra quelque temps en silence, tandis que Tamango, se redressant à la manière d'un grenadier qui passe à la revue devant un général étranger, jouissait de l'impression qu'il croyait produire sur le Blanc. Ledoux, après l'avoir examiné en connaisseur, se tourna vers son second,* et lui dit:

«Voilà un gaillard que je vendrais au moins mille écus, rendu sain et sans avaries à la Martinique.»

On s'assit, et un matelot qui savait un peu la langue wolofe* servit d'interprète. Les premiers compliments de politesse échangés, un mousse apporta un panier de bouteilles d'eau-de-vie; on but, et le capitaine, pour mettre Tamango en belle humeur, lui fit présent d'une jolie poire à poudre en cuivre, ornée du portrait de Napoléon en relief. Le présent accepté avec la reconnaissance convenable, on sortit de la case, on s'assit à l'ombre en face des bouteilles d'eau-de-vie, et Tamango donna le signal de faire venir les esclaves qu'il avait à vendre.

Ils parurent sur une longue file, le corps courbé par la fatigue et la frayeur, chacun ayant le cou pris dans une fourche longue de plus de six pieds, dont les deux pointes étaient réunies vers la nuque par une barre de bois. Quand il faut se mettre en marche, un des conducteurs prend sur son épaule le manche de la fourche du premier esclave; celui-ci se charge de la fourche de l'homme qui le suit immédiatement; le second porte la fourche du troisième esclave, et ainsi des autres. S'agit-il de faire halte,* le chef de file enfonce en terre le bout pointu du manche de sa fourche, et toute la colonne s'arrête. On juge facilement qu'il ne faut pas penser à s'échapper à la course, quand on porte attaché au cou un gros bâton de six pieds de longueur.

A chaque esclave mâle ou femelle qui passait devant lui, le capitaine haussait les épaules, trouvait les hommes chétifs, les femmes trop vieilles ou trop jeunes et se plaignait de l'abâtardissement de la race noire.

«Tout dégénère, disait-il; autrefois, c'était bien différent. Les femmes avaient cinq pieds six pouces de haut, et quatre hommes auraient tourné seuls le cabestan d'une frégate, pour lever la maîtresse ancre.»

Cependant, tout en critiquant, il faisait un premier choix des Noirs les plus robustes et les plus beaux. Ceux-là, il pouvait les payer au prix ordinaire; mais, pour le reste, il demandait une forte diminution. Tamango, de son côté, défendait ses intérêts, vantait sa marchandise, parlait de la rareté des hommes et des périls de la traite. Il conclut en demandant un prix, je ne sais lequel, pour les esclaves que le capitaine blanc voulait charger à son bord.

Aussitôt que l'interprète eut traduit en français la proposition de Tamango, Ledoux manqua tomber à la renverse de surprise et d'indignation; puis, murmurant quelques jurements affreux, il se leva comme pour rompre tout marché avec un homme aussi déraisonnable. Alors Tamango le retint; il parvint avec peine à le faire rasseoir. Une nouvelle bouteille fut débouchée, et la discussion recommença. Ce fut le tour du Noir à trouver folles et extravagantes les propositions du Blanc. On cria, on disputa longtemps, on but prodigieusement d'eau-de-vie; mais l'eau-de-vie produisait un effet bien différent sur les deux parties contractantes. Plus le Français buvait, plus il réduisait ses offres, plus l'Africain buvait, plus il cédait de ses prétentions. De la sorte, à la fin du panier, on tomba d'accord. De mauvaises cotonnades, de la poudre, des pierres à feu, trois barriques d'eau-de-vie, cinquante fusils mal raccommodés furent donnés en échange de cent soixante esclaves. Le capitaine, pour ratifier le traité, frappa dans la main du Noir* plus qu'à moitié ivre, et aussitôt les esclaves furent remis aux matelots français, qui se hâtèrent de leur ôter leurs fourches de bois pour leur donner des carcans et des menottes en fer; ce qui montre bien la supériorité de la civilisation européenne.

Restait encore une trentaine d'esclaves: c'étaient des enfants, des vieillards, des femmes infirmes. Le navire était plein.

Tamango, qui ne savait que faire de ce rebut, offrit au capitaine de les lui vendre pour une bouteille d'eau-de-vie la pièce. L'offre était séduisante. Ledoux se souvint qu'à la représentation des *Vêpres Siciliennes** à Nantes, il avait vu bon nombre de gens gros et gras entrer dans un parterre déjà plein, et parvenir cependant à s'y asseoir, en vertu de la compressibilité des corps humains. Il prit les vingt plus sveltes des trente esclaves.

Alors Tamango ne demanda plus qu'un verre d'eau-de-vie pour chacun des dix restants. Ledoux réfléchit que les enfants ne payent et n'occupent que demi-place dans les voitures publiques. Il prit donc trois enfants; mais il déclara qu'il ne voulait plus se charger d'un seul Noir. Tamango, voyant qu'il lui restait encore sept esclaves sur les bras, saisit son fusil et coucha en joue une femme qui venait la première: c'était la mère des trois enfants.

«Achète, dit-il au Blanc, ou je la tue; un petit verre d'eau-de-vie ou je tire.

—Et que diable veux-tu que j'en fasse?» répondit Ledoux.

Tamango fit feu, et l'esclave tomba morte à terre.

«Allons à un autre! s'écria Tamango en visant un vieillard tout cassé: un verre d'eau-de-vie, ou bien . . .»

Une des femmes lui détourna le bras, et le coup partit au hasard.* Elle venait de reconnaître dans le vieillard que son mari allait tuer un *guiriot** ou magicien, qui lui avait prédit qu'elle serait reine.

Tamango, que l'eau-de-vie avait rendu furieux, ne se posséda plus en voyant qu'on s'opposait à ses volontés. Il frappa rudement sa femme de la crosse de son fusil; puis se tournant vers Ledoux;

«Tiens, dit-il, je te donne cette femme.»

Elle était jolie. Ledoux la regarda en souriant, puis il la prit par la main:

«Je trouverai bien où la mettre», dit-il.

L'interprète était un homme humain. Il donna une tabatière de carton* à Tamango, et lui demanda les six esclaves restants. Il les délivra de leurs fourches, et leur permit de s'en aller où bon leur semblerait. Aussitôt ils se sauvèrent, qui deçà, qui delà,* fort embarrassés de retourner dans leur pays à deux cents lieues de la côte.

Cependant le capitaine dit adieu à Tamango et s'occupa de faire au plus vite embarquer sa cargaison. Il n'était pas prudent de rester longtemps en rivière; les croiseurs pouvaient reparaître, et il voulait appareiller le lendemain. Pour Tamango, il se coucha sur l'herbe, à l'ombre, et dormit pour cuver son eau-de-vie.

Quand il se réveilla, le vaisseau était déjà sous voiles et descendait la rivière. Tamango, la tête encore embarrassée de la débauche de la veille, demanda sa femme Ayché. On lui répondit qu'elle avait eu le malheur de lui déplaire, et qu'il l'avait donnée en présent au capitaine blanc, lequel l'avait emmenée à son bord. A cette nouvelle, Tamango stupéfait se frappa la tête, puis il prit son fusil, et comme la rivière faisait plusieurs détours avant de se décharger dans la mer, il courut, par le chemin le plus direct, à une petite anse, éloignée de l'embouchure d'une demi-lieue. Là, il espérait trouver un canot avec lequel il pourrait joindre le brick, dont les sinuosités de la rivière devaient retarder la marche. Il ne se trompait pas: en effet, il eut le temps de se jeter dans un canot et de joindre le négrier.

Ledoux fut surpris de le voir, mais encore plus de l'entendre redemander sa femme.

«Bien donné ne se reprend plus», répondit-il.

Et il lui tourna le dos.

Le Noir insista, offrant de rendre une partie des objets qu'il avait reçus en échange des esclaves. Le capitaine se mit à rire, dit qu'Ayché était une très bonne femme, et qu'il voulait la garder. Alors le pauvre Tamango versa un torrent de larmes, et poussa des cris de douleur aussi aigus que ceux d'un malheureux qui subit une opération chirurgicale. Tantôt il se roulait sur le pont en appelant sa chère Ayché; tantôt il se frappait la tête contre les planches, comme pour se tuer. Toujours impassible, le capitaine, en lui montrant le rivage, lui faisait signe qu'il était temps pour lui de s'en aller; mais Tamango persistait. Il offrit jusqu'à ses épaulettes d'or, son fusil et son sabre. Tout fut inutile.

Pendant ce débat, le lieutenant de *L'Espérance* dit au capitaine:

«Il nous est mort cette nuit trois esclaves, nous avons de la place. Pourquoi ne prendrions-nous pas ce vigoureux coquin, qui vaut mieux à lui seul que les trois morts?» Ledoux fit réflexion que Tamango se vendrait bien mille écus; que ce voyage, qui s'annonçait comme très profitable pour lui, serait probablement son dernier; qu'enfin sa fortune étant faite, et lui renonçant au commerce d'esclaves, peu lui importait de laisser à la côte de Guinée une bonne ou une mauvaise réputation. D'ailleurs, le rivage était désert, et le guerrier africain entièrement à sa merci. Il ne s'agissait plus que de lui enlever ses armes; car il eût été dangereux* de mettre la main sur lui pendant qu'il les avait encore en sa possession. Ledoux lui demanda donc son fusil, comme pour l'examiner et s'assurer s'il valait bien autant que la belle Ayché. En faisant jouer les ressorts, il eut soin de laisser tomber la poudre de l'amorce. Le lieutenant de son côté maniait le sabre; et, Tamango se trouvant ainsi désarmé, deux vigoureux matelots se jetèrent sur lui, le renversèrent sur le dos, et se mirent en devoir de la garrotter. La résistance du Noir fut héroïque. Revenu de sa première surprise, et malgré le désavantage de sa position, il lutta longtemps contre les deux matelots. Grâce à sa force prodigieuse, il parvint à se relever. D'un coup de poing, il terrassa l'homme qui le tenait au collet; il laissa un morceau de son habit entre les mains de l'autre matelot, et s'élança comme un furieux sur le lieutenant pour lui arracher son sabre. Celui-ci l'en frappa à la tête, et lui fit une blessure large, mais peu profonde. Tamango tomba une seconde fois. Aussitôt on lui lia fortement les pieds et les mains. Tandis qu'il se défendait, il poussait des cris de rage, et s'agitait comme un sanglier pris dans les toiles;* mais, lorsqu'il vit que toute résistance était inutile, il ferma les yeux et ne fit plus aucun mouvement. Sa respiration forte et précipitée prouvait seule qu'il était encore vivant.

«Parbleu! s'écria le capitaine Ledoux, les Noirs qu'il a vendus vont rire de bon cœur en le voyant esclave à son tour. C'est pour le coup qu'ils* verront bien qu'il y a une Providence.»

Cependant le pauvre Tamango perdait tout son sang. Le charitable interprète qui, la veille, avait sauvé la vie à six esclaves, s'approcha de lui, banda sa blessure et lui adressa quelques paroles de consolation. Ce qu'il put lui dire, je l'ignore. Le Noir restait immobile, ainsi qu'un cadavre. Il fallut que deux matelots le portassent comme un paquet dans l'entrepont, à la place qui lui était destinée. Pendant deux jours, il ne voulut ni boire ni manger; à peine lui vit-on ouvrir les yeux. Ses compagnons de captivité, autrefois ses prisonniers, le virent paraître au milieu d'eux avec un étonnement stupide. Telle était la crainte qu'il leur inspirait encore, que pas un seul n'osa insulter à la misère de celui qui avait causé la leur.

Favorisé par un bon vent de terre, le vaisseau s'éloignait rapidement de la côte d'Afrique. Déjà sans inquiétude au sujet de la croisière anglaise, le capitaine ne pensait plus qu'aux énormes bénéfices qui l'attendaient dans les colonies vers lesquelles il se dirigeait. Son bois d'ébène se maintenait sans avaries. Point de maladies contagieuses. Douze Nègres seulement, et des plus faibles, étaient morts de chaleur: c'était bagatelle.* Afin que sa cargaison humaine souffrît le moins possible des fatigues de la traversée, il avait l'attention de faire monter tous les jours ses esclaves sur le pont. Tour à tour un tiers de ces malheureux avait une heure pour faire sa provision d'air de toute la journée. Une partie de l'équipage les surveillait armée jusqu'aux dents, de peur de révolte; d'ailleurs, on avait soin de ne jamais leur ôter entièrement leurs fers. Quelquefois un matelot qui savait jouer du violon les régalait d'un concert. Il était alors curieux de voir toutes ces figures noires se tourner vers le musicien, perdre par degrés leur expression de désespoir stupide, rire d'un gros rire et battre des mains quand leurs chaînes le leur permettaient. L'exercice est nécessaire à la santé; aussi l'une des salutaires pratiques du capitaine Ledoux, c'était de faire souvent danser ses esclaves, comme on fait piaffer des chevaux embarqués pour une longue traversée.

«Allons, mes enfants, dansez, amusez-vous», disait le capitaine d'une voix de tonnerre, en faisant claquer un énorme fouet de poste.

Et aussitôt les pauvres Noirs sautaient et dansaient.

Quelque temps, la blessure de Tamango le retint sous les écoutilles. Il parut enfin sur le pont; et d'abord, relevant la tête avec fierté au milieu de la foule craintive des esclaves, il jeta un coup d'œil triste, mais calme, sur l'immense étendue d'eau qui environnait le navire, puis il se coucha, ou plutôt se laissa tomber sur les planches du tillac, sans prendre même le soin d'arranger ses fers de manière qu'ils lui fussent moins incommodes. Ledoux, assis au gaillard d'arrière, fumait tranquillement sa pipe. Près de lui, Ayché, sans fers, vêtue d'une robe élégante de cotonnade bleue, les pieds chaussés de jolies pantoufles de maroquin, portant à la main un plateau chargé de liqueurs, se tenait prête à lui servir à boire. Il était évident qu'elle remplissait de hautes fonctions auprès du capitaine.* Un Noir, qui détestait Tamango, lui fit signe de regarder de ce côté. Tamango tourna la tête, l'aperçut, poussa un cri; et, se levant avec impétuosité, courut vers le gaillard d'arrière avant que les matelots de garde eussent pu s'opposer à une infraction aussi énorme de toute discipline navale.

«Ayché! cria-t-il d'une voix foudroyante, et Ayché poussa un cri de terreur; crois-tu que dans le pays des Blancs il n'y ait point de MAMA–JUMBO!»

Déjà des matelots accouraient le bâton levé; mais Tamango, les bras croisés, et comme insensible, retournait tranquillement à sa place, tandis qu'Ayché, fondant en larmes, semblait pétrifiée par ces mystérieuses paroles.

L'interprète expliqua ce qu'était ce terrible Mama-Jumbo, dont le nom seul produisait tant d'horreur.

«C'est le Croquemitaine des Nègres, dit-il. Quand un mari a peur que sa femme ne fasse ce que font bien des femmes en France comme en Afrique, il la menace du Mama-Jumbo. Moi, qui vous parle, j'ai vu le Mama-Jumbo, et j'ai compris la ruse; mais les Noirs . . ., comme c'est simple, cela ne comprend rien.*— Figurez-vous qu'un soir, pendant que les femmes s'amusaient à danser, à faire un *folgar*,* comme ils disent dans leur jargon, voilà que, d'un petit bois bien touffu et bien sombre, on entend une musique étrange, sans que l'on vît personne pour la faire; tous les musiciens étaient cachés dans le bois. Il y avait des flûtes de roseau, des tambourins de bois, des *balafos*,* et des guitares faites avec des moitiés de calebasses. Tout cela jouait un air à porter le diable en terre. Les femmes n'ont pas plus tôt entendu cet air-là, qu'elles se mettent à trembler, elles veulent se sauver, mais les maris les retiennent: elles savaient bien ce qui leur pendait à l'oreille. Tout à coup sort du bois une grande figure blanche, haute comme notre mât de perroquet, avec une tête grosse comme un boisseau, des yeux larges comme des écubiers, et une gueule comme celle du diable avec du feu dedans. Cela marchait lentement, lentement; et cela n'alla pas plus loin qu'à demi-encablure du bois. Les femmes criaient;

«Voilà Mama-Jumbo!» Elles braillaient comme des vendeuses d'huîtres. Alors les maris leur disaient:

«—Allons, coquines, dites-nous si vous avez été sages; si vous mentez, Mama-Jumbo est là pour vous manger toutes crues.» Il y en avait qui étaient assez simples pour avouer, et alors les maris les battaient comme plâtre.

—Et qu'était-ce donc que cette figure blanche, ce Mama-Jumbo? demanda le capitaine.

—Eh bien, c'était un farceur affublé d'un grand drap blanc, portant, au lieu de tête, une citrouille creusée et garnie d'une chandelle allumée au bout d'un grand bâton. Cela n'est pas plus malin,* et il ne faut pas de grands frais d'esprit pour attraper* les Noirs. Avec tout cela, c'est une bonne invention que le Mama-Jumbo, et je voudrais que ma femme y crût.

—Pour la mienne, dit Ledoux, si elle n'a pas peur de Mama-Jumbo, elle a peur de Martin-Bâton;* et elle sait du reste comment je l'arrangerais si elle me jouait quelque tour. Nous ne sommes pas endurants dans la famille des Ledoux, et, quoique je n'aie qu'un poignet, il manie encore assez bien une garcette. Quant à votre drôle, là-bas, qui parle de Mama-Jumbo, dites-lui qu'il se tienne* bien et qu'il ne fasse pas peur à la petite mère que voici, ou je lui ferai si bien ratisser l'échine, que son cuir,* de noir, deviendra rouge comme un rosbif cru.»

A ces mots, le capitaine descendit dans sa chambre, fit venir Ayché et tâcha de la consoler; mais ni les caresses, ni les coups même, car on perd patience à la fin, ne purent rendre traitable la belle Négresse; des flots de larmes coulaient de ses yeux. Le capitaine remonta sur le pont, de mauvaise humeur, et querella l'officier de quart sur la manœuvre qu'il commandait dans le moment.

La nuit, lorsque presque tout l'équipage dormait d'un profond sommeil, les hommes de garde entendirent d'abord un chant grave, solennel, lugubre, qui partait de l'entrepont, puis un cri de femme horriblement aigu. Aussitôt après, la grosse voix de Ledoux jurant et menaçant, et le bruit de son terrible fouet, retentirent dans tout le bâtiment. Un instant après, tout rentra dans le silence. Le lendemain, Tamango parut sur le pont la figure meurtrie, mais l'air aussi fier, aussi résolu qu'auparavant.

A peine Ayché l'eut-elle aperçu, que quittant le gaillard d'arrière où elle était assise à côté du capitaine, elle courut avec rapidité vers Tamango, s'agenouilla devant lui, et lui dit avec un accent de désespoir concentré:

«Pardonne-moi, Tamango, pardonne-moi!»

Tamango la regarda fixement pendant une minute; puis, remarquant que l'interprète était éloigné:

«Une lime!» dit-il.

Et il se coucha sur le tillac en tournant le dos à Ayché. Le capitaine la réprimanda vertement, lui donna même quelques soufflets, et lui défendit de parler à son ex-mari; mais il était loin de soupçonner le sens des courtes paroles qu'ils avaient échangées, et il ne fit aucune question à ce sujet.

Cependant Tamango, renfermé avec les autres esclaves, les exhortait jour et nuit à tenter un effort généreux pour recouvrer leur liberté. Il leur parlait du petit nombre des Blancs, et leur faisait remarquer la négligence toujours croissante de leurs gardiens; puis, sans s'expliquer nettement, il disait qu'il saurait les ramener dans leur pays, vantait son savoir dans les sciences occultes, dont les Noirs sont fort entichés, et menaçait de la vengeance du diable ceux qui se refuseraient à l'aider dans son entreprise. Dans ses harangues, il ne se servait que du dialecte des Peules,* qu'entendaient la plupart des esclaves, mais que l'interprète ne comprenait pas. La réputation de l'orateur, l'habitude qu'avaient les esclaves de le craindre et de lui obéir, vinrent merveilleusement au secours de son éloquence, et les Noirs le pressèrent de fixer un jour pour leur délivrance, bien avant que lui-même se crût en état de l'effectuer. Il répondait vaguement aux conjurés que le temps n'était pas venu, et que le diable, qui lui apparaissait en songe, ne l'avait pas encore averti, mais qu'ils eussent à se tenir prêts au premier signal. Cependant il ne négligeait aucune occasion de faire des expériences sur* la vigilance de ses gardiens. Une fois, un matelot, laissant son fusil appuyé contre les plats-bords, s'amusait à regarder une troupe de poissons volants qui suivaient le vaisseau; Tamango prit le fusil et se mit à le manier, imitant avec des gestes grotesques les mouvements qu'il avait vu faire à des matelots* qui faisaient l'exercice. On lui retira le fusil au bout d'un instant; mais il avait appris qu'il pourrait toucher une arme sans éveiller immédiatement le soupçon; et, quand le temps viendrait de s'en servir, bien hardi celui qui voudrait la lui arracher des mains.

Un jour, Ayché lui jeta un biscuit en lui faisant un signe que lui seul comprit. Le biscuit contenait une petite lime:* c'était de cet instrument que dépendait la réussite du complot. D'abord Tamango se garda bien de montrer la lime à ses compagnons; mais, lorsque la nuit fut venue, il se mit à murmurer des paroles inintelligibles qu'il accompagnait de gestes bizarres. Par degrés, il s'anima jusqu'à pousser des cris. A entendre les intonations variées de sa voix, on eût dit qu'il était engagé dans une conversation animée avec une personne invisible. Tous les esclaves tremblaient, ne doutant pas que le diable ne fût en ce moment même au milieu d'eux. Tamango mit fin à cette scène en poussant un cri de joie.

«Camarades, s'écria-t-il, l'esprit que j'ai conjuré vient enfin de m'accorder ce qu'il m'avait promis, et je tiens dans mes mains l'instrument de notre délivrance. Maintenant il ne vous faut qu'un peu de courage pour vous faire libres.»

Il fit toucher la lime à ses voisins, et la fourbe, toute grossière qu'elle était, trouva créance auprès d'hommes encore plus grossiers.

Après une longue attente vint le grand jour de vengeance et de liberté. Les conjurés, liés entre eux par un serment solennel, avaient arrêté* leur plan après une mûre délibération. Les plus déterminés, ayant Tamango à leur tête, lorsqu'ils monteraient à leur tour sur le pont, devaient s'emparer des armes de leurs gardiens; quelques autres iraient à la chambre du capitaine pour y prendre les fusils qui s'y trouvaient. Ceux qui seraient parvenus à limer leurs fers devaient commencer l'attaque; mais, malgré le travail opiniâtre de plusieurs nuits, le plus grand nombre des esclaves était encore incapable de prendre une part énergique à l'action. Aussi trois Noirs robustes avaient la charge de tuer l'homme qui portait dans sa poche la clef des fers, et d'aller aussitôt délivrer leurs compagnons enchaînés.

Ce jour-là, le capitaine Ledoux était d'une humeur charmante; contre sa coutume, il fit grâce à un mousse qui avait mérité le fouet. Il complimenta l'officier de quart sur sa manœuvre, déclara à l'équipage qu'il était content, et lui annonça qu'à la Martinique, où ils arriveraient dans peu, chaque homme recevrait une gratification. Tous les matelots, entretenant de si agréables idées, faisaient déjà dans leur tête l'emploi de cette gratification. Ils pensaient à l'eau-de-vie et aux femmes de couleur de la Martinique, lorsqu'on fit monter sur le pont Tamango et les autres conjurés.

Ils avaient eu soin de limer leurs fers de manière qu'ils ne parussent pas être coupés, et que le moindre effort suffît cependant pour les rompre. D'ailleurs, ils les faisaient si bien résonner, qu'à les entendre on eût dit qu'ils en portaient un double poids. Après avoir humé l'air quelque temps, ils se prirent tous par la main et se mirent à danser pendant que Tamango entonnait le chant guerrier de sa famille,[1] qu'il chantait autrefois avant d'aller au combat. Quand la danse eut duré quelque temps, Tamango, comme épuisé de fatigue, se coucha tout de son long au pied d'un matelot qui s'appuyait nonchalamment contre les plats-bords du navire; tous les conjurés en firent autant. De la sorte, chaque matelot était entouré de plusieurs Noirs.

Tout à coup Tamango, qui venait doucement de rompre ses fers, pousse un grand cri, qui devait servir de signal, tire violemment par les jambes le matelot qui se trouvait près de lui, le culbute, et, lui mettant le pied sur le ventre, lui arrache son fusil, et s'en sert pour tuer l'officier de quart. En même temps, chaque matelot de garde est assailli, désarmé et aussitôt égorgé. De toutes parts, un cri de guerre s'élève. Le contremaître, qui avait la clef des fers, succombe un des premiers. Alors une foule de Noirs inondent le tillac. Ceux qui ne peuvent trouver d'armes saisissent les barres du cabestan ou les rames de la chaloupe. Dès ce moment, l'équipage européen fut perdu. Cependant quelques matelots firent tête sur le gaillard d'arrière; mais ils manquaient d'armes et de résolution. Ledoux était encore vivant et n'avait rien perdu de son courage. S'apercevant que Tamango était l'âme de la conjuration, il espéra que, s'il pouvait le tuer, il aurait bon marché de ses complices.* Il s'élança donc à sa rencontre, le sabre à la main, en l'appelant à grands cris. Aussitôt Tamango se précipita sur lui. Il tenait un fusil par le bout du canon et s'en servait comme d'une massue. Les deux chefs se joignirent sur un des passavants, ce passage étroit qui communique du gaillard d'avant à l'arrière. Tamango frappa le premier. Par un léger mouvement de corps, le Blanc évita le coup. La crosse, tombant avec force sur les planches, se brisa, et le contrecoup fut si violent, que le fusil échappa des mains de Tamango. Il était sans défense,

[1] Chaque capitaine nègre a le sien.

73

et Ledoux, avec un sourire de joie diabolique levait le bras et allait le percer; mais Tamango était aussi agile que les panthères de son pays. Il s'élança dans les bras de son adversaire, et lui saisit la main dont il tenait son sabre. L'un s'efforce de retenir son arme, l'autre de l'arracher. Dans cette lutte furieuse, ils tombent tous les deux; mais l'Africain avait le dessous. Alors, sans se décourager, Tamango, étreignant son adversaire de toute sa force, le mordit à la gorge avec tant de violence, que le sang jaillit comme sous la dent d'un lion. Le sabre échappa de la main défaillante du capitaine. Tamango s'en saisit; puis, se relevant, la bouche sanglante, et poussant un cri de triomphe, il perça de coups redoublés son ennemi déjà demi-mort.

La victoire n'était plus douteuse. Le peu de matelots qui restaient essayèrent d'implorer la pitié des révoltés; mais tous, jusqu'à l'interprète, qui ne leur avait jamais fait de mal, furent impitoyablement massacrés. Le lieutenant mourut avec gloire. Il s'était retiré à l'arrière, auprès d'un de ces petits canons qui tournent sur un pivot, et que l'on charge de mitraille. De la main gauche, il dirigea la pièce, et, de la droite, armé d'un sabre, il se défendit si bien qu'il attira autour de lui une foule de Noirs. Alors, pressant la détente du canon, il fit au milieu de cette masse serrée une large rue pavée de morts et de mourants. Un instant après il fut mis en pièces.

Lorsque le cadavre du dernier Blanc, déchiqueté et coupé par morceaux, eut été jeté à la mer, les Noirs, rassasiés de vengeance, levèrent les yeux vers les voiles du navire, qui, toujours enflées par un vent frais, semblaient obéir encore à leurs oppresseurs et mener les vainqueurs, malgré leur triomphe, vers la terre de l'esclavage.

«Rien n'est donc fait, pensèrent-ils avec tristesse; et ce grand fétiche des Blancs voudra-t-il nous ramener dans notre pays, nous qui avons versé le sang de ses maîtres?»

Quelques-uns dirent que Tamango saurait le faire obéir. Aussitôt on appelle Tamango à grands cris.

Il ne se pressait pas de se montrer. On le trouva dans la chambre de poupe, debout, une main appuyée sur le sabre sanglant du capitaine; l'autre, il la tendait d'un air distrait à sa femme Ayché, qui la baisait à genoux devant lui. La joie d'avoir vaincu ne diminuait pas une sombre inquiétude qui se trahissait dans toute sa contenance. Moins grossier que les autres, il sentait mieux la difficulté de sa position.

Il parut enfin sur le tillac, affectant un calme qu'il n'éprouvait pas. Pressé par cent voix confuses de diriger la course du vaisseau, il s'approcha du gouvernail à pas lents, comme pour retarder un peu le moment qui allait, pour lui-même et pour les autres, décider de l'étendue de son pouvoir.

Dans tout le vaisseau, il n'y avait pas un Noir, si stupide qu'il fût, qui n'eût remarqué l'influence qu'une certaine roue et la boîte placée en face exerçaient sur les mouvements du navire; mais, dans ce mécanisme, il y avait toujours pour eux un grand mystère. Tamango examina la boussole pendant longtemps en remuant les lèvres, comme s'il lisait les caractères qu'il y voyait tracés; puis il portait la main à son front, et prenait l'attitude pensive d'un homme qui fait un calcul de tête. Tous les Noirs l'entouraient, la bouche béante, les yeux démesurément ouverts, suivant avec anxiété le moindre de ses gestes. Enfin, avec ce mélange de crainte et de confiance que l'ignorance donne, il imprima un violent mouvement à la roue du gouvernail.

Comme un généreux coursier qui se cabre sous l'éperon d'un cavalier imprudent, le beau brick *L'Espérance* bondit sur la vague à cette manœuvre inouïe. On eût dit qu'indigné il voulait s'engloutir avec son pilote ignorant. Le rapport nécessaire entre la direction des voiles et celle du gouvernail étant brusquement rompu, le vaisseau s'inclina avec tant de violence, qu'on eût dit qu'il allait s'abîmer. Ses longues vergues plongèrent dans la mer. Plusieurs hommes furent renversés; quelques-uns tombèrent par-dessus le bord. Bientôt le vaisseau se releva fièrement contre la lame, comme pour lutter encore une fois avec la destruction. Le vent redoubla d'efforts, et tout d'un coup, avec un bruit horrible, tombèrent les deux mâts, cassés à quelques pieds du pont, couvrant le tillac de débris et comme d'un lourd filet de cordages.

Les Nègres épouvantés fuyaient sous les écoutilles en poussant des cris de terreur; mais, comme le vent ne trouvait plus de prise, le vaisseau se releva et se laissa doucement ballotter par les flots. Alors les plus hardis des Noirs remontèrent sur le tillac et le débarrassèrent des débris qui l'obstruaient. Tamango restait immobile, le coude appuyé sur l'habitacle et se cachant le visage sur son bras replié. Ayché était auprès de lui, mais n'osait lui adresser

75

la parole. Peu à peu les Noirs s'approchèrent; un murmure s'éleva, qui bientôt se changea en un orage de reproches et d'injures.

«Perfide! imposteur! s'écriaient-ils, c'est toi qui as causé tous nos maux, c'est toi qui nous as vendus aux Blancs, c'est toi qui nous as contraints de nous révolter contre eux. Tu nous avais vanté ton savoir, tu nous avais promis de nous ramener dans notre pays. Nous t'avons cru, insensés que nous étions! et voilà que nous avons manqué de périr tous parce que tu as offensé le fétiche des Blancs.»

Tamango releva fièrement la tête, et les Noirs qui l'entouraient reculèrent intimidés. Il ramassa deux fusils, fit signe à sa femme de le suivre, traversa la foule, qui s'ouvrit devant lui, et se dirigea vers l'avant du vaisseau. Là, il se fit comme un rempart avec des tonneaux vides et des planches; puis il s'assit au milieu de cette espèce de retranchement, d'où sortaient menaçantes les baïonnettes de ses deux fusils. On le laissa tranquille. Parmi les révoltés, les uns pleuraient; d'autres, levant les mains au ciel, invoquaient leurs fétiches et ceux des Blancs; ceux-ci, à genoux devant la boussole, dont ils admiraient le mouvement continuel, la suppliaient de les ramener dans leur pays; ceux-là se couchaient sur le tillac dans un morne abattement. Au milieu de ces désespérés, qu'on se représente* des femmes et des enfants hurlant d'effroi, et une vingtaine de blessés implorant des secours que personne ne pensait à leur donner.

Tout à coup un Nègre paraît sur le tillac: son visage est radieux. Il annonce qu'il vient de découvrir l'endroit où les Blancs gardent leur eau-de-vie; sa joie et sa contenance prouvent assez qu'il vient d'en faire l'essai. Cette nouvelle suspend un instant les cris de ces malheureux. Ils courent à la cambuse et se gorgent de liqueur. Une heure après, on les eût vus* sauter et rire sur le pont, se livrant à toutes les extravagances de l'ivresse la plus brutale. Leurs danses et leurs chants étaient accompagnés des gémissements et des sanglots des blessés. Ainsi se passa le reste du jour et toute la nuit.

Le matin, au réveil, nouveau désespoir. Pendant la nuit, un grand nombre de blessés étaient morts. Le vaisseau flottait entouré de cadavres. La mer était grosse et le ciel brumeux. On tint conseil. Quelques apprentis dans l'art magique, qui n'avaient point osé parler de leur savoir-faire devant Tamango, offrirent tour à tour leurs services. On essaya plusieurs conjurations puissantes. A chaque tentative inutile, le découragement augmentait. Enfin on reparla de Tamango, qui n'était pas encore sorti de son retranchement. Après tout, c'était le plus savant d'entre eux, et lui seul pouvait les tirer de la situation horrible où il les avait placés. Un vieillard s'approcha de lui, porteur de propositions de paix. Il le pria de venir donner son avis; mais Tamango, inflexible comme Coriolan,* fut sourd à ses prières. La nuit, au milieu du désordre il avait fait sa provision de biscuits et de chair salée. Il paraissait déterminé à vivre seul dans sa retraite.

L'eau-de-vie restait. Au moins elle fait oublier et la mer, et l'esclavage, et la mort prochaine. On dort, on rêve de l'Afrique, on voit des forêts de gommiers, des cases couvertes en paille, des baobabs dont l'ombre couvre tout un village. L'orgie de la veille recommença. De la sorte se passèrent plusieurs jours. Crier, pleurer, s'arracher les cheveux, puis s'enivrer et dormir, telle était leur vie. Plusieurs moururent à force de boire; quelques-uns se jetèrent à la mer, ou se poignardèrent.

Un matin, Tamango sortit de son fort et s'avança jusqu'auprès du tronçon du grand mât.

«Esclaves, dit-il, l'Esprit m'est apparu en songe et m'a révélé les moyens de vous tirer d'ici pour vous ramener dans votre pays. Votre ingratitude mériterait que je vous abandonnasse; mais j'ai pitié de ces femmes et de ces enfants qui crient. Je vous pardonne: écoutez-moi.»

Tous les Noirs baissèrent la tête avec respect et se serrèrent autour de lui.

«Les Blancs, poursuivit Tamango, connaissent seuls les paroles puissantes qui font remuer ces grandes maisons de bois: mais nous pouvons diriger à notre gré ces barques légères qui ressemblent à celles de notre pays.»

Il montrait la chaloupe et les hautes embarcations du brick.

«Remplissons-les de vivres, montons dedans et ramons dans la direction du vent; mon maître et le vôtre le fera souffler vers notre pays.»

On le crut. Jamais projet ne fut plus insensé. Ignorant l'usage de la boussole, et sous un ciel inconnu, il ne pouvait qu'errer à l'aventure. D'après ses idées, il s'imaginait qu'en ramant tout droit devant lui, il trouverait à la fin quelque terre habitée par les Noirs, car les Noirs possèdent la terre, et les Blancs vivent sur leurs vaisseaux. C'est ce qu'il avait entendu dire à sa mère.

Tout fut bientôt prêt pour l'embarquement; mais la chaloupe avec un canot seulement se trouva en état de servir. C'était trop peu pour contenir environ quatre-vingts Nègres encore vivants. Il fallut abandonner tous les blessés et les malades. La plupart demandèrent qu'on les tuât avant de se séparer d'eux.

Les deux embarcations, mises à flot avec des peines infinies et chargées outre mesure, quittèrent le vaisseau par une mer clapoteuse, qui menaçait à chaque instant de les engloutir. Le canot s'éloigna le premier. Tamango avec Ayché avait pris place dans la chaloupe, qui beaucoup plus lourde et plus chargée, demeurait considérablement en arrière. On entendait encore les cris plaintifs de quelques malheureux abandonnés à bord du brick, quand une vague assez forte prit la chaloupe en travers et l'emplit d'eau. En moins d'une minute, elle coula. Le canot vit leur désastre, et ses rameurs doublèrent d'efforts de peur d'avoir à recueillir quelques naufragés. Presque tous ceux qui montaient la chaloupe furent noyés. Une douzaine seulement put regagner le vaisseau. De ce nombre étaient Tamango et Ayché. Quand le soleil se coucha, ils virent disparaître le canot derrière l'horizon, mais ce qu'il devint, on l'ignore.

Pourquoi fatiguerais-je le lecteur par la description dégoûtante des tortures de la faim? Vingt personnes environ sur un espace étroit, tantôt ballottées par une mer orageuse, tantôt brûlées par un soleil ardent, se disputent tous les jours les faibles restes de leurs provisions. Chaque morceau de biscuit coûte un combat, et le faible meurt, non parce que le fort le tue, mais parce qu'il le laisse mourir. Au bout de quelques jours il ne resta plus de vivant à bord du brick *L'Espérance* que Tamango et Ayché.

....

Une nuit, la mer était agitée, le vent soufflait avec violence, et l'obscurité était si grande, que de la poupe on ne pouvait voir la proue du navire. Ayché était couchée sur un matelas dans la chambre du capitaine et Tamango était assis à ses pieds. Tous les deux gardaient le silence depuis longtemps.

«Tamango, s'écria enfin Ayché, tout ce que tu souffres, tu le souffres à cause de moi . . .

—Je ne souffre pas», répondit-il brusquement. Et il jeta sur le matelas, à côté de sa femme, la moitié d'un biscuit qui lui restait.

«Garde-le pour toi, dit-elle en repoussant doucement le biscuit;

je n'ai plus faim. D'ailleurs, pourquoi manger? Mon heure n'est-elle pas venue?»

Tamango se leva sans répondre, monta en chancelant sur le tillac et s'assit au pied d'un mât rompu. La tête penchée sur sa poitrine, il sifflait l'air de sa famille. Tout à coup un grand cri se fit entendre au-dessus du bruit du vent et de la mer; une lumière parut. Il entendit d'autres cris, et un gros vaisseau noir glissa rapidement auprès du sien; si près, que les vergues passèrent au-dessus de sa tête. Il ne vit que deux figures éclairées par une lanterne suspendue à un mât. Ces gens poussèrent encore un cri, et aussitôt leur navire, emporté par le vent, disparut dans l'obscurité. Sans doute les hommes de garde avaient aperçu le vaisseau naufragé; mais le gros temps les empêchait de virer de bord. Un instant après, Tamango vit la flamme d'un canon et entendit le bruit de l'explosion; puis il vit la flamme d'un autre canon, mais il n'entendit aucun bruit; puis il ne vit plus rien. Le lendemain, pas une voile ne paraissait à l'horizon. Tamango se recoucha sur son matelas et ferma les yeux. Sa femme Ayché était morte cette nuit-là.

Je ne sais combien de temps après, une frégate anglaise, *La Bellone*, aperçut un bâtiment démâté et en apparence abandonné de son équipage. Une chaloupe, l'ayant abordé, y trouva une Négresse morte et un Nègre si décharné et si maigre, qu'il ressemblait à une momie. Il était sans connaissance, mais avait encore un souffle de vie. Le chirurgien s'en empara, lui donna des soins, et quand *La Bellone* aborda à Kingston,* Tamango était en parfaite santé. On lui demanda son histoire. Il dit ce qu'il en savait. Les planteurs de l'île voulaient qu'on le pendît comme un Nègre rebelle, mais le gouverneur, qui était un homme humain, s'intéressa à lui, trouvant son cas justifiable, puisque, après tout, il n'avait fait qu'user du droit légitime de défense; et puis ceux qu'il avait tués n'étaient que des Français.* On le traita comme on traite les Nègres pris à bord d'un vaisseau négrier que l'on confisque. On lui donna la liberté, c'est-à-dire qu'on le fit travailler pour le gouvernement; mais il avait six sous par jour et la nourriture. C'était un fort bel homme. Le colonel du 75ᵉ le vit et le prit pour en faire un cymbalier dans la musique de son régiment. Il apprit un peu d'anglais; mais il ne parlait guère. En revanche, il buvait avec excès du rhum et du tafia.*—Il mourut à l'hôpital d'une inflammation de poitrine.

1829

La Vénus d'Ille

Ἴλεως ἦν δ᾽ ἐγὼ ἔστω ὁ ἀνδρίας καὶ
ἤπιος, οὕτως ἀνδρεῖος ὤν.
ΛΟΥΚΙΑΝΟΥ ΦΙΛΟΨΕΥΔΗΣ*

Je descendais le dernier coteau du Canigou,* et, bien que le soleil
fût déjà couché, je distinguais dans la plaine les maisons de la
petite ville d'Ille,* vers laquelle je me dirigeais.

«Vous savez, dis-je au Catalan* qui me servait de guide depuis
la veille, vous savez sans doute où demeure M. de Peyrehorade?*

—Si je le sais!* s'écria-t-il, je connais sa maison comme la
mienne; et s'il ne faisait pas si noir, je vous la montrerais. C'est la
plus belle d'Ille. Il a de l'argent, oui, M. de Peyrehorade; et il marie
son fils à plus riche que lui encore.

—Et ce mariage se fera-t-il bientôt? lui demandai-je.

—Bientôt! il se peut déjà que les violons soient commandés
pour la noce. Ce soir, peut-être, demain, après-demain, que
sais-je! C'est à Puygarrig que ça se fera; car c'est Mlle de Puygarrig
que monsieur le fils épouse. Ce sera beau, oui!»

J'étais recommandé à M. de Peyrehorade par mon ami M. de
P.* C'était, m'avait-il dit, un antiquaire fort instruit et d'une
complaisance à toute épreuve. Il se ferait un plaisir de me montrer
toutes les ruines à dix lieues à la ronde. Or, je comptais sur lui
pour visiter les environs d'Ille, que je savais riches en monuments
antiques et du Moyen Age. Ce mariage, dont on me parlait alors
pour la première fois, dérangeait tous mes plans.

Je vais être un trouble-fête, me dis-je. Mais j'étais attendu;
annoncé par M. de P., il fallait bien me présenter.

«Gageons, monsieur, me dit mon guide, comme nous étions
déjà dans la plaine, gageons un cigare que je devine ce que vous
allez faire chez M. de Peyrehorade?

—Mais, répondis-je en lui tendant un cigare, cela n'est pas bien
difficile à deviner. A l'heure qu'il est, quand on a fait six lieues
dans le Canigou, la grande affaire, c'est de souper.

—Oui, mais demain? . . . Tenez, je parierais que vous venez à

Ille pour voir l'idole? j'ai deviné cela à vous voir tirer en portrait* les saints de Serrabona.

—L'idole! quelle idole?» Ce mot avait excité ma curiosité.

«Comment! on ne vous a pas conté, à Perpignan, comment M. de Peyrehorade avait trouvé une idole en terre?*

—Vous voulez dire une statue en terre cuite, en argile?

—Non pas. Oui, bien en cuivre, et il y en a de quoi faire des gros sous. Elle vous pèse autant qu'une cloche d'église. C'est bien avant dans la terre, au pied d'un olivier, que nous l'avons eue.

—Vous étiez donc présent à la découverte?

—Oui, monsieur. M. de Peyrehorade nous dit, il y a quinze jours, à Jean Coll et à moi, de déraciner un vieil olivier qui était gelé de l'année dernière, car elle a été bien mauvaise, comme vous savez. Voilà donc qu'en travaillant, Jean Coll, qui y allait de tout cœur, il donne un coup de pioche, et j'entends bimm . . . comme s'il avait tapé sur une cloche. Qu'est-ce que c'est? que je dis.* Nous piochons toujours, nous piochons, et voilà qu'il paraît une main noire, qui semblait la main d'un mort qui sortait de terre. Moi, la peur me prend. Je m'en vais à monsieur, et je lui dis: «Des morts, notre maître, qui sont sous l'olivier! Faut appeler le curé.— Quels morts?» qu'il me dit. Il vient, et il n'a pas plus tôt vu la main qu'il s'écrie: «Un antique! un antique!» Vous auriez cru qu'il avait trouvé un trésor. Et le voilà, avec la pioche, avec les mains, qu'il se démène et qui faisait quasiment autant d'ouvrage que nous deux.

—Et enfin que trouvâtes-vous?*

—Une grande femme noire plus qu'à moitié nue, révérence parler,* monsieur, toute en cuivre, et M. de Peyrehorade nous a dit que c'était une idole du temps des païens . . . du temps de Charlemagne, quoi!

—Je vois ce que c'est . . . Quelque bonne Vierge en bronze d'un couvent détruit.

—Une bonne Vierge! ah bien oui! . . . Je l'aurais bien reconnue, si ç'avait été une bonne Vierge. C'est une idole, vous dis-je: on le voit bien à son air. Elle vous fixe avec ses grands yeux blancs . . . On dirait qu'elle vous dévisage. On baisse les yeux, oui, en la regardant.

—Des yeux blancs? Sans doute ils sont incrustés dans le bronze. Ce sera peut-être quelque statue romaine.

—Romaine! c'est cela. M. de Peyrehorade dit que c'est une Romaine. Ah! je vois bien que vous êtes un savant comme lui.

—Est-elle entière, bien conservée?

—Oh! monsieur, il ne lui manque rien. C'est encore plus beau et mieux fini que le buste de Louis-Philippe,* qui est à la mairie, en plâtre peint. Mais avec tout cela, la figure de cette idole ne me revient pas.* Elle a l'air méchante . . . et elle l'est aussi.

—Méchante! Quelle méchanceté vous a-t-elle faite?

—Pas à moi précisément; mais vous allez voir. Nous nous étions mis à quatre pour la dresser debout, et M. de Peyrehorade, qui lui aussi tirait à la corde, bien qu'il n'ait guère plus de force qu'un poulet, le digne homme! Avec bien de la peine nous la mettons droite. J'amassais* un tuileau* pour la caler, quand, patatras! la voilà qui tombe à la renverse tout d'une masse. Je dis: Gare dessous! Pas assez vite pourtant, car Jean Coll n'a pas eu le temps de tirer sa jambe . . .

—Et il a été blessé?

—Cassée net comme un échalas, sa pauvre jambe! Pécaïre!* quand j'ai vu cela, moi, j'étais furieux. Je voulais défoncer l'idole à coups de pioche, mais M. de Peyrehorade m'a retenu. Il a donné de l'argent à Jean Coll, qui tout de même est encore au lit depuis quinze jours que cela lui est arrivé, et le médecin dit qu'il ne marchera jamais de cette jambe-là comme de l'autre. C'est dommage, lui qui était notre meilleur coureur et, après monsieur le fils,* le plus malin joueur de paume.* C'est que* M. Alphonse de Peyrehorade en a été triste, car c'est Coll qui faisait sa partie.* Voilà qui était beau à voir comme ils se renvoyaient les balles. Paf! paf! Jamais elles ne touchaient terre.»

Devisant de la sorte, nous entrâmes à Ille, et je me trouvai bientôt en présence de M. de Peyrehorade. C'était un petit vieillard* vert encore et dispos, poudré, le nez rouge, l'air jovial et goguenard. Avant d'avoir ouvert la lettre de M. de P., il m'avait installé devant une table bien servie, et m'avait présenté à sa femme et à son fils comme un archéologue illustre, qui devait tirer le Roussillon de l'oubli où le laissait l'indifférence des savants.

Tout en mangeant de bon appétit, car rien ne dispose mieux que l'air vif des montagnes, j'examinais mes hôtes. J'ai dit un mot de M. de Peyrehorade; je dois ajouter que c'était la vivacité même. Il parlait, mangeait, se levait, courait à sa bibliothèque, m'apportait des livres, me montrait des estampes, me versait à boire; il n'était jamais deux minutes en repos. Sa femme, un peu trop grasse, comme la plupart des Catalanes lorsqu'elles ont passé quarante ans, me parut une provinciale renforcée,* uniquement occupée des soins du ménage. Bien que le souper fût suffisant pour six personnes au moins, elle courut à la cuisine, fit tuer des pigeons, frire des miliasses,* ouvrit je ne sais combien de pots de confitures. En un instant la table fut encombrée de plats et de bouteilles, et je serais certainement mort d'indigestion si j'avais goûté seulement à tout ce qu'on m'offrait. Cependant, à chaque plat que je refusais, c'étaient de nouvelles excuses. On craignait que je ne me trouvasse bien mal à Ille. Dans la province on a si peu de ressources, et les Parisiens sont si difficiles!

Au milieu des allées et venues de ses parents, M. Alphonse de Peyrehorade ne bougeait pas plus qu'un Terme.* C'était un grand jeune homme de vingt-six ans, d'une physionomie belle et régulière, mais manquant d'expression. Sa taille et ses formes athlétiques justifiaient bien la réputation d'infatigable joueur de paume qu'on lui faisait dans le pays. Il était ce soir-là habillé avec élégance, exactement d'après la gravure du dernier numéro du *Journal des Modes*. Mais il me semblait gêné dans ses vêtements; il était raide comme un piquet dans son col de velours, et ne se tournait que tout d'une pièce. Ses mains grosses et hâlées, ses ongles courts contrastaient singulièrement avec son costume. C'étaient des mains de laboureur sortant des manches d'un dandy. D'ailleurs, bien qu'il me considérât de la tête aux pieds fort curieusement, en ma qualité de Parisien, il ne m'adressa qu'une seule fois la parole dans toute la soirée, ce fut pour me demander où j'avais acheté la chaîne de ma montre.

«Ah ça! mon cher hôte, me dit M. de Peyrehorade, le souper tirant à sa fin, vous m'appartenez, vous êtes chez moi. Je ne vous lâche plus, sinon quand vous aurez vu tout ce que nous avons de curieux dans nos montagnes. Il faut que vous appreniez à connaître notre Roussillon, et que vous lui rendiez justice. Vous ne vous doutez pas de tout ce que nous allons vous montrer. Monuments phéniciens, celtiques, romains, arabes, byzantins, vous verrez tout, depuis le cèdre jusqu'à l'hysope.* Je vous mènerai partout et ne vous ferai pas grâce d'une brique.»

Un accès de toux l'obligea de s'arrêter. J'en profitai pour lui dire que je serais désolé de le déranger dans une circonstance aussi intéressante pour sa famille. S'il voulait bien me donner ses excellents conseils sur les excursions que j'aurais à faire, je pourrais, sans qu'il prît la peine de m'accompagner . . .

«Ah! vous voulez parler du mariage de ce garçon-là, s'écriat-il en m'interrompant. Bagatelle, ce sera fait après-demain. Vous ferez la noce avec nous, en famille, car la future est en deuil d'une tante dont elle hérite. Ainsi point de fête, point de bal . . . C'est dommage . . . vous auriez vu danser nos Catalanes . . . Elles sont jolies, et peut-être l'envie vous aurait-elle pris d'imiter mon Alphonse. Un mariage, dit-on, en amène d'autres . . . Samedi, les jeunes gens mariés, je suis libre, et nous nous mettons en course. Je vous demande pardon de vous donner l'ennui d'une noce de province. Pour un Parisien blasé sur les fêtes . . . et une noce sans bal encore! Pourtant, vous verrez une mariée . . . une mariée . . . vous m'en direz des nouvelles . . . Mais vous êtes un homme grave et vous ne regardez plus les femmes. J'ai mieux que cela à vous montrer. Je vous ferai voir quelque chose! . . . Je vous réserve une fière surprise pour demain.

—Mon Dieu! lui dis-je, il est difficile d'avoir un trésor dans sa maison sans que le public en soit instruit. Je crois deviner la surprise que vous me préparez. Mais si c'est de votre statue qu'il s'agit, la description que mon guide m'en a faite n'a servi qu'à exciter ma curiosité et à me disposer à l'admiration.

—Ah! il vous a parlé de l'idole, car c'est ainsi qu'ils appellent ma belle Vénus Tur . . . mais je ne veux rien vous dire. Demain, au grand jour, vous la verrez, et vous me direz si j'ai raison de la croire un chef-d'œuvre. Parbleu! vous ne pouviez arriver plus à propos! Il y a des inscriptions que moi, pauvre ignorant, j'explique à ma manière . . . mais un savant de Paris! . . . Vous vous moquerez peut-être de mon interprétation . . . car j'ai fait un mémoire* . . . moi qui vous parle . . . vieil antiquaire de province, je me suis lancé . . . Je veux faire gémir la presse . . . Si vous vouliez bien me lire et me corriger, je pourrais espérer . . . Par exemple, je suis bien curieux de savoir comment vous traduirez cette inscription sur le socle: CAVE . . . Mais je ne veux rien vous demander encore! A demain, à demain! Pas un mot sur la Vénus aujourd'hui.

—Tu as raison, Peyrehorade, dit sa femme, de laisser là ton idole. Tu devrais voir que tu empêches monsieur de manger. Va, monsieur a vu à Paris de bien plus belles statues que la tienne. Aux Tuileries, il y en a des douzaines, et en bronze aussi.

—Voilà bien l'ignorance, la sainte ignorance de la province! interrompit M. de Peyrehorade. Comparer un antique admirable aux plates figures de Coustou!*

> *Comme avec irrévérence*
> *Parle des dieux ma ménagère**

«Savez-vous que ma femme voulait que je fondisse ma statue pour en faire une cloche à notre église? C'est qu'elle en eût été la marraine. Un chef-d'œuvre de Myron,* monsieur!

—Chef-d'œuvre! chef-d'œuvre! un beau chef-d'œuvre qu'elle a fait! casser la jambe d'un homme!

—Ma femme, vois-tu? dit M. de Peyrehorade d'un ton résolu, et tendant vers elle sa jambe droite dans un bas de soie chinée, si ma Vénus m'avait cassé cette jambe-là, je ne la regretterais pas.

—Bon Dieu! Peyrehorade, comment peux-tu dire cela! Heureusement que l'homme va mieux . . . Et encore je ne peux pas prendre sur moi de regarder la statue qui fait des malheurs comme celui-là. Pauvre Jean Coll!

—Blessé par Vénus, monsieur, dit M. de Peyrehorade riant d'un gros rire, blessé par Vénus, le maraud se plaint:

> *Veneris nec praemia nôris**

«Qui n'a pas été blessé par Vénus?»

M. Alphonse, qui comprenait le français mieux que le latin, cligna de l'œil d'un air d'intelligence, et me regarda comme pour me demander: «Et vous, Parisien, comprenez-vous?»

Le souper finit. Il y avait une heure que je ne mangeais plus. J'étais fatigué, et je ne pouvais parvenir à cacher les fréquents bâillements qui m'échappaient. Mme de Peyrehorade s'en aperçut la première, et remarqua qu'il était temps d'aller dormir. Alors commencèrent de nouvelles excuses sur le mauvais gîte que j'allais avoir. Je ne serais pas comme à Paris. En province on est si mal! Il fallait de l'indulgence pour les Roussillonnais. J'avais beau protester qu'après une course dans les montagnes, une botte de paille me serait un coucher délicieux, on me priait toujours de pardonner à de pauvres campagnards s'ils ne me traitaient pas aussi bien qu'ils l'eussent désiré. Je montai enfin à la chambre qui m'était destinée, accompagné de M. de Peyrehorade. L'escalier, dont les marches supérieures étaient en bois, aboutissait au milieu d'un corridor, sur lequel donnaient plusieurs chambres.

«A droite, me dit mon hôte, c'est l'appartement que je destine à la future Mme Alphonse. Votre chambre est au bout du corridor opposé. Vous sentez bien, ajouta-t-il d'un air qu'il voulait rendre fin, vous sentez bien qu'il faut isoler de nouveaux mariés. Vous êtes à un bout de la maison, eux à l'autre.»

Nous entrâmes dans une chambre bien meublée, où le premier objet sur lequel je portai la vue fut un lit long de sept pieds, large de six, et si haut qu'il fallait un escabeau pour s'y guinder. Mon hôte m'ayant indiqué la position de la sonnette, et s'étant assuré par lui-même que le sucrier était plein, les flacons d'eau de Cologne dûment placés sur la toilette, après m'avoir demandé plusieurs fois si rien ne me manquait, me souhaita une bonne nuit et me laissa seul.

Les fenêtres étaient fermées. Avant de me déshabiller, j'en ouvris une pour respirer l'air frais de la nuit, délicieux après un long souper. En face était le Canigou, d'un aspect admirable en tout temps, mais qui me parut ce soir-là la plus belle montagne du monde, éclairé qu'il était par une lune resplendissante. Je demeurai quelques minutes à contempler sa silhouette merveilleuse, et j'allais fermer ma fenêtre, lorsque, baissant les yeux, j'aperçus la statue sur un piédestal à une vingtaine de toises de la maison. Elle était placée à l'angle d'une haie vive qui séparait un petit jardin d'un vaste carré parfaitement uni, qui, je l'appris plus tard, était le jeu de paume* de la ville. Ce terrain, propriété de M. de Peyrehorade, avait été cédé par lui à la commune, sur les pressantes sollicitations de son fils.

A la distance où j'étais, il m'était difficile de distinguer l'attitude de la statue; je ne pouvais juger que de sa hauteur, qui me parut de six pieds environ. En ce moment, deux polissons de la ville passaient sur le jeu de paume, assez près de la haie, sifflant le joli air du Roussillon: *Montagnes régalades*. Ils s'arrêtèrent pour regarder la statue; un d'eux l'apostropha même à haute voix. Il parlait catalan; mais j'étais dans le Roussillon depuis assez longtemps pour pouvoir comprendre à peu près ce qu'il disait:

«Te voilà donc, coquine! (Le terme catalan était plus énergique.) Te voilà, disait-il. C'est donc toi qui as cassé la jambe à Jean Coll! Si tu étais à moi, je te casserais le cou.

—Bah! avec quoi? dit l'autre. Elle est de cuivre, et si dure qu'Étienne a cassé sa lime dessus, essayant de l'entamer. C'est du cuivre du temps des païens; c'est plus dur que je ne sais quoi.

—Si j'avais mon ciseau à froid (il paraît que c'était un apprenti serrurier), je lui ferais bientôt sauter ses grands yeux blancs, comme je tirerais une amande de sa coquille. Il y a pour plus de cent sous d'argent.»*

Ils firent quelques pas en s'éloignant.

«Il faut que je souhaite le bonsoir à l'idole», dit le plus grand des apprentis, s'arrêtant tout à coup.

Il se baissa, et probablement ramassa une pierre. Je le vis déployer le bras, lancer quelque chose, et aussitôt un coup sonore retentit sur le bronze. Au même instant l'apprenti porta la main à sa tête en poussant un cri de douleur.

«Elle me l'a rejetée!» s'écria-t-il.

Et mes deux polissons prirent la fuite à toutes jambes. Il était évident que la pierre avait rebondi sur le métal, et avait puni ce drôle de l'outrage qu'il faisait à la déesse.

Je fermai la fenêtre en riant de bon cœur.

«Encore un Vandale puni par Vénus. Puissent tous les destructeurs de nos vieux monuments avoir ainsi la tête cassée!»

Sur ce souhait charitable, je m'endormis.

Il était grand jour quand je me réveillai. Auprès de mon lit étaient, d'un côté, M. de Peyrehorade, en robe de chambre; de l'autre un domestique envoyé par sa femme une tasse de chocolat à la main.

«Allons, debout, Parisien! Voilà bien mes paresseux de la capitale! disait mon hôte pendant que je m'habillais à la hâte. Il est huit heures, et encore au lit! je suis levé, moi, depuis six heures. Voilà trois fois que je monte, je me suis approché de votre porte sur la pointe du pied: personne, nul signe de vie. Cela vous fera mal de trop dormir à votre âge. Et ma Vénus que vous n'avez pas encore vue. Allons, prenez-moi vite cette tasse de chocolat de Barcelone . . . Vraie contrebande.* Du chocolat comme on n'en a pas à Paris. Prenez des forces, car, lorsque vous serez devant ma Vénus, on ne pourra plus vous en arracher.»

En cinq minutes je fus prêt, c'est-à-dire à moitié rasé, mal boutonné, et brûlé par le chocolat que j'avalai bouillant. Je descendis dans le jardin, et me trouvai devant une admirable statue.

C'était bien une Vénus, et d'une merveilleuse beauté. Elle avait le haut du corps nu, comme les anciens représentaient d'ordinaire les grandes divinités; la main droite, levée à la hauteur du sein, était tournée, la paume en dedans, le pouce et les deux premiers doigts étendus, les deux autres légèrement ployés. L'autre main, rapprochée de la hanche, soutenait la draperie qui couvrait la partie inférieure du corps. L'attitude de cette statue rappelait celle du Joueur de mourre* qu'on désigne, je ne sais trop pourquoi, sous le nom de Germanicus.* Peut-être avait-on voulu représenter la déesse au jeu de mourre.

Quoi qu'il en soit, il est impossible de voir quelque chose de plus parfait que le corps de cette Vénus; rien de plus suave, de plus voluptueux que ses contours; rien de plus élégant et de plus noble que sa draperie. Je m'attendais à quelque ouvrage du Bas-Empire; je voyais un chef-d'œuvre du meilleur temps de la statuaire. Ce qui me frappait surtout, c'était l'exquise vérité des formes, en sorte qu'on aurait pu les croire moulées sur nature, si la nature produisait d'aussi parfaits modèles.

La chevelure, relevée sur le front, paraissait avoir été dorée autrefois. La tête, petite comme celle de presque toutes les statues grecques, était légèrement inclinée en avant. Quant à la figure, jamais je ne parviendrai à exprimer son caractère étrange, et dont le type ne se rapprochait de celui d'aucune statue antique dont il me souvienne. Ce n'était point cette beauté calme et sévère des sculpteurs grecs, qui, par système, donnaient à tous les traits une majestueuse immobilité. Ici, au contraire, j'observais avec surprise l'intention marquée de l'artiste de rendre la malice arrivant jusqu'à la méchanceté. Tous les traits étaient contractés légèrement: les yeux un peu obliques, la bouche relevée des coins, les narines quelque peu gonflées. Dédain, ironie, cruauté, se lisaient sur ce visage d'une incroyable beauté cependant. En vérité, plus on regardait cette admirable statue, et plus on éprouvait le sentiment pénible qu'une si merveilleuse beauté pût s'allier à l'absence de toute sensibilité.

«Si le modèle a jamais existé, dis-je à M. de Peyrehorade, et je doute que le Ciel ait jamais produit une telle femme, que je plains ses amants! Elle a dû se complaire à les faire mourir de désespoir. Il y a dans son expression quelque chose de féroce, et pourtant je n'ai jamais vu rien de si beau.

—C'est Vénus tout entière* à sa proie attachée!»

s'écria M. de Peyrehorade, satisfait de mon enthousiasme.

Cette expression d'ironie infernale était augmentée peut-être par le contraste de ses yeux incrustés d'argent et très brillants avec la patine* d'un vert noirâtre que le temps avait donnée à toute la statue. Ces yeux brillants produisaient une certaine illusion qui rappelait la réalité, la vie. Je me souvins de ce que m'avait dit mon guide, qu'elle faisait baisser les yeux à ceux qui la regardaient. Cela était presque vrai, et je ne pus me défendre d'un mouvement de colère contre moi-même en me sentant un peu mal à mon aise devant cette figure de bronze.

«Maintenant que vous avez tout admiré en détail, mon cher collègue en antiquaillerie,* dit mon hôte, ouvrons, s'il vous plaît, une conférence scientifique. Que dites-vous de cette inscription, à laquelle vous n'avez point pris garde encore?»

Il me montrait le socle de la statue, et j'y lus ces mots:

CAVE AMANTEM

«*Quid dicis, doctissime*?* me demanda-t-il en se frottant les mains. Voyons si nous nous rencontrerons sur le sens de ce *cave amantem*!

—Mais, répondis-je, il y a deux sens. On peut traduire: «Prends garde a celui qui t'aime, défie-toi des amants». Mais, dans ce sens, je ne sais si *cave amantem* serait d'une bonne latinité.* En voyant l'expression diabolique de la dame, je croirais plutôt que l'artiste a voulu mettre en garde le spectateur contre cette terrible beauté. Je traduirais donc: «Prends garde à toi si *elle* t'aime.»

—Humph! dit M. de Peyrehorade, oui, c'est un sens admissible; mais, ne vous en déplaise, je préfère la première traduction, que je développerai pourtant. Vous connaissez l'amant de Vénus?

—Il y en a plusieurs.

—Oui; mais le premier, c'est Vulcain. N'a-t-on pas voulu dire: «Malgré toute ta beauté, ton air dédaigneux, tu auras un forgeron, un vilain boiteux pour amant?» Leçon profonde, monsieur, pour les coquettes!»

Je ne pus m'empêcher de sourire, tant l'explication me parut tirée par les cheveux.

«C'est une terrible langue que le latin avec sa concision», observai-je pour éviter de contredire formellement mon antiquaire, et je reculai de quelques pas afin de mieux contempler la statue.

«Un instant, collègue! dit M. de Peyrehorade en m'arrêtant par le bras, vous n'avez pas tout vu. Il y a encore une autre inscription. Montez sur le socle et regardez au bras droit.» En parlant ainsi, il m'aidait à monter.

Je m'accrochai sans trop de façon au cou de la Vénus, avec laquelle je commençais à me familiariser. Je la regardai même un instant *sous le nez*, et la trouvai de près encore plus méchante et encore plus belle. Puis je reconnus qu'il y avait, gravés sur le bras, quelques caractères d'écriture cursive antique, à ce qu'il me sembla. A grand renfort de besicles* j'épelai ce qui suit, et cependant M. de Peyrehorade répétait chaque mot à mesure que je le prononçais, approuvant du geste et de la voix. Je lus donc:

VENERI TVRBVL . . .

EVTYCHES MYRO

IMPERIO FECIT.

Après ce mot TVRBVL de la première ligne, il me sembla qu'il y avait quelques lettres effacées; mais TVRBVL était parfaitement lisible.

«Ce qui veut dire? . . . me demanda mon hôte, radieux et souriant avec malice, car il pensait bien que je ne me tirerais pas facilement de ce TVRBVL.

—Il y a un mot que je ne m'explique pas encore, lui dis-je; tout le reste est facile. Eutychès Myron a fait cette offrande à Vénus par son ordre.

—A merveille. Mais TVRBVL, qu'en faites-vous? Qu'est-ce que TVRBVL?

—TVRBVL m'embarrasse fort. Je cherche en vain quelque épithète connue de Vénus qui puisse m'aider. Voyons, que diriez-vous de TVRBVLENTA? Vénus qui trouble, qui agite . . . Vous vous apercevez que je suis toujours préoccupé de son expression méchante. TVRBVLENTA, ce n'est point une trop mauvaise épithète pour Vénus, ajoutai-je d'un ton modeste, car je n'étais pas moi-même fort satisfait de mon explication.

—Vénus turbulente! Vénus la tapageuse! Ah! vous croyez donc que ma Vénus est une Vénus de cabaret? Point du tout, monsieur; c'est une Vénus de bonne compagnie. Mais je vais vous expliquer ce TVRBVL . . . Au moins vous me promettez de ne point divulguer ma découverte avant l'impression de mon mémoire. C'est que, voyez-vous, je m'en fais gloire, de cette trouvaille-là . . . Il faut bien que vous nous laissiez quelques épis à glaner, à nous autres pauvres diables de provinciaux. Vous êtes si riches, messieurs les savants de Paris!»

Du haut du piédestal, où j'étais toujours perché, je lui promis solennellement que je n'aurais jamais l'indignité de lui voler sa découverte.

«TVRBVL . . ., monsieur, dit-il en se rapprochant et baissant la voix de peur qu'un autre que moi ne pût l'entendre, lisez TVRBVLNERAE.

—Je ne comprends pas davantage.

—Écoutez bien. A une lieue d'ici, au pied de la montagne, il y a un village qui s'appelle Boulternère. C'est une corruption du mot latin TVRBVLNERA. Rien de plus commun que ces inversions. Boulternère, monsieur, a été une ville romaine. Je m'en étais toujours douté, mais jamais je n'en avais eu la preuve. La preuve, la voilà. Cette Vénus était la divinité topique de la cité de Boulternère, et ce mot de Boulternère, que je viens de démontrer d'origine antique, prouve une chose bien plus curieuse, c'est que Boulternère, avant d'être une ville romaine, a été une ville phénicienne!»

Il s'arrêta un moment pour respirer et jouir de ma surprise. Je parvins à réprimer une forte envie de rire.

«En effet, poursuivit-il, TVRBVLNERA est pur phénicien, TVR, prononcez TOUR . . . TOUR et SOUR, même mot, n'est-ce pas? SOUR est le nom phénicien de Tyr;* je n'ai pas besoin de vous en rappeler le sens. BVL c'est Baal,* Bâl, Bel, Bul, légères différences de prononciation. Quant à NERA, cela me donne un peu de peine. Je suis tenté de croire, faute de trouver un mot phénicien, que cela vient du grec νηρός, humide, marécageux. Ce serait donc un mot hybride. Pour justifier νηρός, je vous montrerai à Boulternère comment les ruisseaux de la montagne y forment des mares infectes. D'autre part, la terminaison NERA aurait pu être ajoutée beaucoup plus tard en l'honneur de Nera Pivesuvia, femme de Tétricus, laquelle aurait fait quelque bien à la cité de Turbul. Mais, à cause des mares, je préfère l'étymologie de νηρός».

Il prit une prise de tabac d'un air satisfait.

«Mais laissons les Phéniciens, et revenons à l'inscription. Je traduis donc: A Vénus de Boulternère Myron dédie par son ordre cette statue, son ouvrage.»

Je me gardai bien de critiquer son étymologie, mais je voulus à mon tour faire preuve de pénétration, et je lui dis:

«Halte-là, monsieur. Myron a consacré quelque chose, mais je ne vois nullement que ce soit cette statue.

—Comment! s'écria-t-il, Myron n'était-il pas un fameux sculp-

teur grec? Le talent se sera perpétué dans sa famille: c'est un de
ses descendants qui aura fait cette statue. Il n'y a rien de plus sûr.

—Mais, répliquai-je, je vois sur le bras un petit trou. Je pense
qu'il a servi à fixer quelque chose, un bracelet, par exemple, que
ce Myron donna à Vénus en offrande expiatoire. Myron était un
amant malheureux. Vénus était irritée contre lui: il l'apaisa en lui
consacrant un bracelet d'or. Remarquez que *fecit** se prend fort
souvent pour *consecravit.** Ce sont termes synonymes. Je vous en
montrerais plus d'un exemple si j'avais sous la main Gruter ou bien
Orelli.* Il est naturel qu'un amoureux voie Vénus en rêve, qu'il
s'imagine qu'elle lui commande de donner un bracelet d'or à sa
statue. Myron lui consacra un bracelet . . . Puis les barbares ou
bien quelque voleur sacrilège . . .

—Ah! qu'on voit bien que vous avez fait des romans! s'écria
mon hôte en me donnant la main pour descendre. Non, monsieur,
c'est un ouvrage de l'école de Myron. Regardez seulement le
travail, et vous en conviendrez.»

M'étant fait une loi de ne jamais contredire à outrance les
antiquaires entêtés, je baissai la tête d'un air convaincu en disant:
«C'est un admirable morceau.

—Ah! mon Dieu, s'écria M. de Peyrehorade, encore un trait de
vandalisme! On aura jeté une pierre à ma statue!»

Il venait d'apercevoir une marque blanche un peu au-dessus du
sein de la Vénus. Je remarquai une trace semblable sur les doigts
de la main droite, qui, je le supposai alors, avaient été touchés
dans le trajet de la pierre, ou bien un fragment s'en était détaché
par le choc et avait ricoché sur la main. Je contai à mon hôte
l'insulte dont j'avais été témoin et la prompte punition qui s'en
était suivie. Il en rit beaucoup, et, comparant l'apprenti à Dio-
mède, il lui souhaita de voir, comme le héros grec, tous ses
compagnons changés on oiseaux blancs.*

La cloche du déjeuner interrompit cet entretien classique, et, de
même que le veille, je fus obligé de manger comme quatre. Puis
vinrent des fermiers de M. de Peyrehorade; et, pendant qu'il leur
donnait audience, son fils me mena voir une calèche qu'il avait
achetée à Toulouse pour sa fiancée, et que j'admirai, cela va sans
dire. Ensuite j'entrai avec lui dans l'écurie, où il me tint une
demi-heure à me vanter ses chevaux, à me faire leur généalogie,
à me conter les prix qu'ils avaient gagnés aux courses du dé-

partement. Enfin, il en vint à me parler de sa future, par la transition d'une jument grise qu'il lui destinait.

«Nous la verrons aujourd'hui, dit-il. Je ne sais si vous la trouverez jolie. Vous êtes difficiles, à Paris; mais tout le monde, ici et à Perpignan, la trouve charmante. Le bon, c'est qu'elle est fort riche. Sa tante de Prades lui a laissé son bien. Oh! je vais être fort heureux.»

Je fus profondément choqué de voir un jeune homme paraître plus touché de la dot que des beaux yeux de sa future.

«Vous vous connaissez en bijoux, poursuivit M. Alphonse, comment trouvez-vous ceci? Voici l'anneau que je lui donnerai demain.»

En parlant ainsi, il tirait de la première phalange de son petit doigt une grosse bague enrichie de diamants, et formée de deux mains entrelacées; allusion qui me parut infiniment poétique. Le travail en était ancien, mais je jugeai qu'on l'avait retouchée pour enchâsser les diamants. Dans l'intérieur de la bague se lisaient ces mots en lettres gothiques: *Sempr'ab ti,* c'est-à-dire, toujours avec toi.

«C'est une jolie bague, lui dis-je; mais ces diamants ajoutés lui ont fait perdre un peu de son caractère.

—Oh! elle est bien plus belle comme cela, répondit-il en souriant. Il y a là pour douze cents francs de diamants. C'est ma mère qui me l'a donnée. C'était une bague de famille très ancienne . . . du temps de la chevalerie. Elle avait servi à ma grand-mère, qui la tenait de la sienne. Dieu sait quand cela a été fait.

—L'usage à Paris, lui dis-je, est de donner un anneau tout simple, ordinairement composé de deux métaux différents, comme de l'or et du platine. Tenez, cette autre bague, que vous avez à ce doigt, serait fort convenable. Celle-ci, avec ses diamants et ses mains en relief, est si grosse, qu'on ne pourrait mettre un gant par-dessus.

—Oh! Mme Alphonse s'arrangera comme elle voudra. Je crois qu'elle sera toujours bien contente de l'avoir. Douze cents francs au doigt, c'est agréable. Cette petite bague-là, ajouta-t-il en regardant d'un air de satisfaction l'anneau tout uni qu'il portait à la main, celle-là, c'est une femme à Paris qui me l'a donnée un jour de Mardi gras. Ah! comme je m'en suis donné quand j'étais à Paris, il y a deux ans! C'est là qu'on s'amuse! . . .» Et il soupira de regret.

Nous devions dîner ce jour-là à Puygarrig, chez les parents de la future; nous montâmes en calèche, et nous nous rendîmes au château, éloigné d'Ille d'environ une lieue et demie. Je fus présenté et accueilli comme l'ami de la famille. Je ne parlerai pas du dîner ni de la conversation qui s'ensuivit, et à laquelle je pris peu de part. M. Alphonse, placé à côté de sa future, lui disait un mot à l'oreille tous les quarts d'heure. Pour elle, elle ne levait guère les yeux, et chaque fois que son prétendu lui parlait, elle rougissait avec modestie, mais lui répondait sans embarras.

Mlle de Puygarrig avait dix-huit ans, sa taille souple et délicate contrastait avec les formes osseuses de son robuste fiancé. Elle était non seulement belle, mais séduisante. J'admirais le naturel parfait de toutes ses réponses; et son air de bonté, qui pourtant n'était pas exempt d'une légère teinte de malice, me rappela, malgré moi, la Vénus de mon hôte. Dans cette comparaison que je fis en moi-même, je me demandais si la supériorité de beauté qu'il fallait bien accorder à la statue ne tenait pas, en grande partie, à son expression de tigresse; car l'énergie, même dans les mauvaises passions, excite toujours en nous un étonnement et une espèce d'admiration involontaire.

«Quel dommage, me dis-je en quittant Puygarrig, qu'une si aimable personne soit riche, et que sa dot la fasse rechercher par un homme indigne d'elle!»

En revenant à Ille, et ne sachant trop que dire à Mme de Peyrehorade, à qui je croyais convenable d'adresser quelquefois la parole:

«Vous êtes bien esprits forts en Roussillon! m'écriai-je; comment, madame, vous faites un mariage un vendredi!* A Paris, nous aurions plus de superstition; personne n'oserait prendre femme un tel jour.

—Mon Dieu! ne m'en parlez pas, me dit-elle, si cela n'avait dépendu que de moi, certes on eût choisi un autre jour. Mais Peyrehorade l'a voulu, et il a fallu lui céder. Cela me fait de la peine pourtant. S'il arrivait quelque malheur? Il faut bien qu'il y ait une raison car enfin pourquoi tout le monde a-t-il peur du vendredi?

—Vendredi! s'écria son mari, c'est le jour de Vénus! Bon jour pour un mariage! Vous le voyez, mon cher collègue, je ne pense qu'à ma Vénus. D'honneur!* c'est à cause d'elle que j'ai choisi le vendredi. Demain, si vous voulez, avant la noce, nous lui ferons un petit sacrifice, nous sacrifierons deux palombes, et, si je savais où trouver de l'encens . . .

—Fi donc, Peyrehorade! interrompit sa femme scandalisée au dernier point. Encenser une idole! Ce serait une abomination! Que dirait-on de nous dans le pays?

—Au moins, dit M. de Peyrehorade, tu me permettras de lui mettre sur la tête une couronne de roses et de lis:

*Manibus date lilia plenis**

Vous le voyez, monsieur, la charte* est un vain mot. Nous n'avons pas la liberté des cultes!»

Les arrangements du lendemain furent réglés de la manière suivante. Tout le monde devait être prêt et en toilette à dix heures précises. Le chocolat pris, on se rendrait en voiture à Puygarrig. Le mariage civil devait se faire à la mairie du village, et la cérémonie religieuse dans la chapelle du château. Viendrait ensuite un déjeuner. Après le déjeuner on passerait le temps comme l'on pourrait jusqu'à sept heures. A sept heures, on retournerait à Ille, chez M. de Peyrehorade, où devaient souper les deux familles réunies. Le reste s'ensuit naturellement. Ne pouvant danser, on avait voulu manger le plus possible.

Dès huit heures, j'étais assis devant la Vénus, un crayon à la main, recommençant pour la vingtième fois la tête de la statue, sans pouvoir parvenir à en saisir l'expression. M. de Peyrehorade allait et venait autour de moi, me donnait des conseils, me répétait ses étymologies phéniciennes; puis disposait des roses du Bengale sur le piédestal de la statue, et d'un ton tragi-comique lui adressait des vœux pour le couple qui allait vivre sous son toit. Vers neuf heures il rentra pour songer à sa toilette, et en même temps parut M. Alphonse, bien serré dans un habit neuf, en gants blancs, souliers vernis, boutons ciselés, une rose à la boutonnière.

«Vous ferez le portrait de ma femme? me dit-il en se penchant sur mon dessin. Elle est jolie aussi.»

En ce moment commençait, sur le jeu de paume dont j'ai parlé, une partie qui, sur-le-champ, attira l'attention de M. Alphonse. Et moi, fatigué, et désespérant de rendre cette diabolique figure, je quittai bientôt mon dessin pour regarder les joueurs. Il y avait parmi eux quelques muletiers espagnols arrivés de la veille. C'étaient des Aragonais et des Navarrois, presque tous d'une adresse merveilleuse. Aussi les Illois, bien qu'encouragés par la présence et les conseils de M. Alphonse, furent-ils assez promptement battus par ces nouveaux champions. Les spectateurs nationaux étaient consternés. M. Alphonse regarda sa montre. Il n'était encore que neuf heures et demie. Sa mère n'était pas coiffée. Il n'hésita plus: il ôta son habit, demanda une veste, et défia les Espagnols. Je le regardais faire en souriant, et un peu surpris.

«Il faut soutenir l'honneur du pays», dit-il.

Alors je le trouvai vraiment beau. Il était passionné. Sa toilette, qui l'occupait si fort tout à l'heure, n'était plus rien pour lui. Quelques minutes avant, il eût craint de tourner la tête de peur de déranger sa cravate. Maintenant il ne pensait plus à ses cheveux frisés ni à son jabot si bien plissé. Et sa fiancée? . . . Ma foi, si cela eût été nécessaire, il aurait, je crois, fait ajourner le mariage. Je le vis chausser à la hâte une paire de sandales, retrousser ses manches, et, d'un air assuré, se mettre à la tête du parti vaincu, comme César ralliant ses soldats à Dyrrachium.* Je sautai la haie, et me plaçai commodément à l'ombre d'un micocoulier,* de façon à bien voir les deux camps.

Contre l'attente générale, M. Alphonse manqua la première balle; il est vrai qu'elle vint rasant la terre et lancée avec une force surprenante par un Aragonais qui paraissait être le chef des Espagnols.

C'était un homme d'une quarantaine d'années, sec et nerveux, haut de six pieds, et sa peau olivâtre avait une teinte presque aussi foncée que le bronze de la Vénus.

M. Alphonse jeta sa raquette à terre avec fureur.

«C'est cette maudite bague, s'écria-t-il, qui me serre le doigt et me fait manquer une balle sûre!»

Il ôta, non sans peine, sa bague de diamants: je m'approchais pour la recevoir; mais il me prévint, courut à la Vénus, lui passa la bague au doigt annulaire, et reprit son poste à la tête des Illois.

Il était pâle, mais calme et résolu. Dès lors il ne fit plus une seule faute, et les Espagnols furent battus complètement. Ce fut un beau spectacle que l'enthousiasme des spectateurs: les uns poussaient mille cris de joie en jetant leurs bonnets en l'air; d'autres lui serraient les mains, l'appelant l'honneur du pays. S'il eût repoussé une invasion, je doute qu'il eût reçu des félicitations plus vives et plus sincères. Le chagrin des vaincus ajoutait encore à l'éclat de sa victoire.

«Nous ferons d'autres parties, mon brave, dit-il à l'Aragonais d'un ton de supériorité mais je vous rendrai des points.»

J'aurais désiré que M. Alphonse fût plus modeste, et je fus presque peiné de l'humiliation de son rival.

Le géant espagnol ressentit profondément cette insulte. Je le vis pâlir sous sa peau basanée. Il regardait d'un air morne sa raquette en serrant les dents; puis, d'une voix étouffée, il dit tout bas: *Me lo pagaràs.* *

La voix de M. de Peyrehorade troubla le triomphe de son fils: mon hôte, fort étonné de ne point le trouver présidant aux apprêts de la calèche neuve, le fut bien plus encore en le voyant tout en sueur la raquette à la main. M. Alphonse courut à la maison, se lava la figure et les mains, remit son habit neuf et ses souliers vernis, et cinq minutes après nous étions au grand trot sur la route de Puygarrig. Tous les joueurs de paume de la ville et grand nombre de spectateurs nous suivirent avec des cris de joie. A peine les chevaux vigoureux qui nous traînaient pouvaient-ils maintenir leur avance sur ces intrépides Catalans.

Nous étions à Puygarrig, et le cortège allait se mettre en marche pour la mairie, lorsque M. Alphonse, se frappant le front, me dit tout bas:

«Quelle brioche!* J'ai oublié la bague! Elle est au doigt de la Vénus, que le diable puisse emporter! Ne le dites pas à ma mère au moins. Peut-être qu'elle ne s'apercevra de rien.

—Vous pourriez envoyer quelqu'un, lui dis-je.

—Bah! mon domestique est resté à Ille, ceux-ci, je ne m'y fie guère. Douze cents francs de diamants! cela pourrait en tenter plus d'un. D'ailleurs que penserait-on ici de ma distraction? Ils se moqueraient trop de moi. Ils m'appelleraient le mari de la statue . . . Pourvu qu'on ne me la vole pas! Heureusement que l'idole fait peur à mes coquins. Ils n'osent l'approcher à longueur de bras. Bah! ce n'est rien; j'ai une autre bague.»

Les deux cérémonies civile et religieuse s'accomplirent avec la pompe convenable; et Mlle de Puygarrig reçut l'anneau d'une modiste de Paris, sans se douter que son fiancé lui faisait le sacrifice d'un gage amoureux. Puis on se mit à table, où l'on but, mangea, chanta même, le tout fort longuement. Je souffrais pour la mariée de la grosse joie qui éclatait autour d'elle: pourtant elle faisait meilleure contenance que je ne l'aurais espéré, et son embarras n'était ni de la gaucherie ni de l'affectation.

Peut-être le courage vient-il avec les situations difficiles.

Le déjeuner terminé quand il plut à Dieu, il était quatre heures, les hommes allèrent se promener dans le parc, qui était magnifique, ou regardèrent danser sur la pelouse du château les paysannes de Puygarrig, parées de leurs habits de fête. De la sorte, nous employâmes quelques heures. Cependant les femmes étaient fort empressées autour de la mariée, qui leur faisait admirer sa corbeille. Puis elle changea de toilette, et je remarquai qu'elle couvrit ses beaux cheveux d'un bonnet et d'un chapeau à plumes, car les femmes n'ont rien de plus pressé que de prendre, aussitôt qu'elles le peuvent, les parures que l'usage leur défend de porter quand elles sont encore demoiselles.

Il était près de huit heures quand on se disposa à partir pour Ille. Mais d'abord eut lieu une scène pathétique. La tante de Mlle de Puygarrig, qui lui servait de mère, femme très âgée et fort dévote, ne devait point aller avec nous à la ville. Au départ elle fit à sa nièce un sermon touchant sur ses devoirs d'épouse, duquel sermon résulta un torrent de larmes et des embrassements sans fin. M. de Peyrehorade comparait cette séparation à l'enlèvement des Sabines.* Nous partîmes pourtant, et, pendant la route, chacun s'évertua pour distraire la mariée et la faire rire; mais ce fut en vain.

A Ille, le souper nous attendait, et quel souper! Si la grosse joie du matin m'avait choqué, je le fus bien davantage des équivoques et des plaisanteries dont le marié et la mariée surtout furent l'objet. Le marié, qui avait disparu un instant avant de se mettre à table, était pâle et d'un sérieux de glace. Il buvait à chaque instant du vieux vin de Collioure* presque aussi fort que de l'eau-de-vie. J'étais à côté de lui, et me crus obligé de l'avertir:

«Prenez garde! on dit que le vin . . .»

Je ne sais quelle sottise je lui dis pour me mettre à l'unisson des convives.

Il me poussa le genou, et très bas il me dit:

«Quand on se lèvera de table . . ., que je puisse vous dire deux mots.»

Son ton solennel me surprit. Je le regardai plus attentivement, et je remarquai l'étrange altération de ses traits.

«Vous sentez-vous indisposé? lui demandai-je.

—Non.»

Et il se remit à boire.

Cependant, au milieu des cris et des battements de mains, un enfant de onze ans, qui s'était glissé sous la table, montrait aux assistants un joli ruban blanc et rose qu'il venait de détacher de la cheville de la mariée. On appelle cela sa jarretière. Elle fut aussitôt coupée par morceaux et distribuée aux jeunes gens, qui en ornèrent leur boutonnière, suivant un antique usage qui se conserve encore dans quelques familles patriarcales. Ce fut pour la mariée une occasion de rougir jusqu'au blanc des yeux . . . Mais son trouble fut au comble lorsque M. de Peyrehorade, ayant réclamé le silence, lui chanta quelques vers catalans, impromptu, disait-il. En voici le sens, si je l'ai bien compris:

«Qu'est-ce donc, mes amis? le vin que j'ai bu me fait-il voir double? Il y a deux Vénus ici . . .»

Le marié tourna brusquement la tête d'un air effaré, qui fit rire tout le monde.

«Oui, poursuivit M. de Peyrehorade, il y a deux Vénus sous mon toit. L'une, je l'ai trouvée dans la terre comme une truffe; l'autre, descendue des cieux, vient de nous partager sa ceinture.»*

Il voulait dire sa jarretière.

«Mon fils, choisis de la Vénus romaine ou de la catalane celle que tu préfères. Le maraud prend la catalane, et sa part est la meilleure. La romaine est noire, la catalane est blanche. La romaine est froide, la catalane enflamme tout ce qui l'approche.»

Cette chute* excita un tel hourra, des applaudissements si bruyants et des rires si sonores, que je crus que le plafond allait nous tomber sur la tête. Autour de la table il n'y avait que trois visages sérieux, ceux des mariés et le mien. J'avais un grand mal de tête: et puis, je ne sais pourquoi, un mariage m'attriste toujours. Celui-là, en outre, me dégoûtait un peu.

Les derniers couplets ayant été chantés par l'adjoint du maire, et ils étaient fort lestes, je dois le dire, on passa dans le salon pour jouir du départ de la mariée, qui devait être bientôt conduite à sa chambre, car il était près de minuit.

M. Alphonse me tira dans l'embrasure d'une fenêtre, et me dit en détournant les yeux:

«Vous allez vous moquer de moi . . . Mais je ne sais ce que j'ai . . . je suis ensorcelé! le diable m'emporte!»

La première pensée qui me vint fut qu'il se croyait menacé de quelque malheur du genre de ceux dont parlent Montaigne et Mme de Sévigné:*

«Tout l'empire amoureux est plein d'histoires tragiques, etc.»

Je croyais que ces sortes d'accidents n'arrivaient qu'aux gens d'esprit, me dis-je à moi-même.

«Vous avez trop bu de vin de Collioure, mon cher monsieur Alphonse, lui dis-je. Je vous avais prévenu.

—Oui, peut-être. Mais c'est quelque chose de bien plus terrible.»

Il avait la voix entrecoupée. Je le crus tout à fait ivre.

«Vous savez bien, mon anneau? poursuivit-il après un silence.

—Eh bien, on l'a pris?

—Non.

—En ce cas, vous l'avez?

—Non . . . je . . . je ne puis l'ôter du doigt de cette diable de Vénus.

—Bon! vous n'avez pas tiré assez fort.

—Si fait . . . Mais la Vénus . . . elle a serré le doigt.»

Il me regardait fixement d'un air hagard, s'appuyant à l'espagnolette pour ne pas tomber.

«Quel conte! lui dis-je. Vous avez trop enfoncé l'anneau. Demain vous l'aurez avec des tenailles. Mais prenez garde de gâter la statue.

—Non, vous dis-je. Le doigt de la Vénus est retiré, reployé; elle serre la main, m'entendez-vous? . . . C'est ma femme, apparemment, puisque je lui ai donné mon anneau . . . Elle ne veut plus le rendre.»

J'éprouvai un frisson subit, et j'eus un instant la chair de poule. Puis, un grand soupir qu'il fit m'envoya une bouffée de vin, et toute émotion disparut.

Le misérable, pensai-je, est complètement ivre.

«Vous êtes antiquaire, monsieur, ajouta le marié d'un ton lamentable, vous connaissez ces statues-là . . . il y a peut-être quelque ressort, quelque diablerie, que je ne connais point . . . Si vous alliez voir?

—Volontiers, dis-je. Venez avec moi.

—Non, j'aime mieux que vous y alliez seul.»

Je sortis du salon.

Le temps avait changé pendant le souper, et la pluie commençait à tomber avec force. J'allais demander un parapluie, lorsqu'une réflexion m'arrêta. «Je serais un bien grand sot, me dis-je, d'aller vérifier ce que m'a dit un homme ivre! Peut-être, d'ailleurs, a-t-il voulu me faire quelque méchante plaisanterie* pour apprêter à rire à ces honnêtes provinciaux; et le moins qu'il puisse m'en arriver c'est d'être trempé jusqu'aux os et d'attraper un bon rhume.»

De la porte je jetai un coup d'œil sur la statue ruisselante d'eau, et je montai dans ma chambre sans rentrer dans le salon. Je me couchai; mais le sommeil fut long à venir. Toutes les scènes de la journée se représentaient à mon esprit. Je pensais à cette jeune fille si belle et si pure abandonnée à un ivrogne brutal. Quelle odieuse chose, me disais-je, qu'un mariage de convenance! Un maire revêt une écharpe tricolore, un curé une étole, et voilà la plus honnête fille du monde livrée au Minotaure!* Deux êtres qui ne s'aiment pas, que peuvent-ils se dire dans un pareil moment, que deux amants achèteraient au prix de leur existence? Une femme peut-elle jamais aimer un homme qu'elle aura vu grossier une fois? Les premières impressions ne s'effacent pas, et, j'en suis sûr, ce M. Alphonse méritera bien d'être haï . . .

Durant mon monologue, que j'abrège beaucoup, j'avais entendu force allées et venues dans la maison, les portes s'ouvrir et se fermer, des voitures partir; puis il me semblait avoir entendu sur l'escalier les pas légers de plusieurs femmes se dirigeant vers l'extrémité du corridor opposée à ma chambre. C'était probablement le cortège de la mariée qu'on menait au lit. Ensuite on avait redescendu l'escalier. La porte de Mme de Peyrehorade s'était fermée. Que cette pauvre fille, me dis-je, doit être troublée et mal à son aise! Je me tournais dans mon lit de mauvaise humeur. Un garçon joue un sot rôle dans une maison où s'accomplit un mariage.

Le silence régnait depuis quelque temps lorsqu'il fut troublé par des pas lourds qui montaient l'escalier. Les marches de bois craquèrent fortement.

«Quel butor! m'écriai-je. Je parie qu'il va tomber dans l'escalier.»

Tout redevint tranquille. Je pris un livre pour changer le cours de mes idées. C'était une statistique du département, ornée d'un mémoire de M. de Peyrehorade sur les monuments druidiques de l'arrondissment de Prades. Je m'assoupis à la troisième page.

Je dormis mal et me réveillai plusieurs fois. Il pouvait être cinq heures du matin, et j'étais éveillé depuis plus de vingt minutes, lorsque le coq chanta. Le jour allait se lever. Alors j'entendis distinctement les mêmes pas lourds, le même craquement de l'escalier que j'avais entendu avant de m'endormir. Cela me parut singulier. J'essayai, en bâillant, de deviner pourquoi M. Alphonse se levait si matin. Je n'imaginais rien de vraisemblable. J'allais refermer les yeux lorsque mon attention fut de nouveau excitée par des trépignements étranges auxquels se mêlèrent bientôt le tintement des sonnettes et le bruit de portes qui s'ouvraient avec fracas, puis je distinguai des cris confus.

«Mon ivrogne aura mis le feu quelque part!» pensais-je en sautant à bas de mon lit.

Je m'habillai rapidement et j'entrai dans le corridor. De l'extrémité opposée partaient des cris et des lamentations, et une voix déchirante dominait toutes les autres: «Mon fils! mon fils!» Il était évident qu'un malheur était arrivé à M. Alphonse. Je courus à la chambre nuptiale: elle était pleine de monde. Le premier spectacle qui frappa ma vue fut le jeune homme à demi vêtu, étendu en travers sur le lit dont le bois était brisé. Il était livide, sans mouvement. Sa mère pleurait et criait à côté de lui. M. de Peyrehorade s'agitait, lui frottait les tempes avec de l'eau de Cologne, on lui mettait des sels sous le nez. Hélas! depuis longtemps son fils était mort. Sur un canapé, à l'autre bout de la chambre, était la mariée, en proie à d'horribles convulsions. Elle poussait des cris inarticulés, et deux robustes servantes avaient toutes les peines du monde à la contenir.

«Mon Dieu! m'écriai-je, qu'est-il donc arrivé?»

Je m'approchai du lit et soulevai le corps du malheureux jeune homme; il était déjà raide et froid. Ses dents serrées et sa figure noircie exprimaient les plus affreuses angoisses. Il paraissait assez que sa mort avait été violente et son agonie terrible. Nulle trace de sang cependant sur ses habits. J'écartai sa chemise et vis sur sa poitrine une empreinte livide qui se prolongeait sur les côtes et le dos. On eût dit qu'il avait été étreint dans un cercle de fer. Mon pied posa sur quelque chose de dur qui se trouvait sur le tapis; je me baissai et vis la bague de diamants.

J'entraînai M. de Peyrehorade et sa femme dans leur chambre; puis j'y fis porter la mariée.

«Vous avez encore une fille, leur dis-je, vous lui devez vos soins.» Alors je les laissai seuls.

Il ne me paraissait pas douteux que M. Alphonse n'eût été victime d'un assassinat dont les auteurs avaient trouvé moyen de

s'introduire la nuit dans la chambre de la mariée. Ces meurtrissures
à la poitrine, leur direction circulaire m'embarrassaient beaucoup
pourtant, car un bâton ou une barre de fer n'aurait pu les produire.
Tout d'un coup, je me souvins d'avoir entendu dire qu'à Valence*
des braves se servaient de longs sacs de cuir remplis de sable fin
pour assommer les gens dont on leur avait payé la mort. Aussitôt,
je me rappelai le muletier aragonais et sa menace; toutefois, j'osais
à peine penser qu'il eût tiré une si terrible vengeance d'une plaisanterie légère.

J'allais dans la maison, cherchant partout des traces d'effraction,
et n'en trouvant nulle part. Je descendis dans le jardin pour voir si
les assassins avaient pu s'introduire de ce côté; mais je ne trouvai
aucun indice certain. La pluie de la veille avait d'ailleurs tellement
détrempé le sol, qu'il n'aurait pu garder d'empreinte bien nette.
J'observai pourtant quelques pas profondément imprimés dans la
terre; il y en avait dans deux directions contraires, mais sur une
même ligne, partant de l'angle de la haie contiguë au jeu de paume
et aboutissant à la porte de la maison. Ce pouvaient être les pas
de M. Alphonse lorsqu'il était allé chercher son anneau au doigt
de la statue. D'un autre côté, la haie, en cet endroit, étant moins
fourrée qu'ailleurs, ce devait être sur ce point que les meurtriers
l'auraient franchie. Passant et repassant devant la statue, je
m'arrêtai un instant pour la considérer. Cette fois, je l'avouerai,
je ne pus contempler sans effroi son expression de méchanceté
ironique; et, la tête toute pleine des scènes horribles dont je venais
d'être le témoin, il me sembla voir une divinité infernale applau-
dissant au malheur qui frappait cette maison.

Je regagnai ma chambre et j'y restai jusqu'à midi. Alors je sortis
et demandai des nouvelles de mes hôtes. Ils étaient un peu plus
calmes. Mlle de Puygarrig, je devrais dire la veuve de M. Alphonse,
avait repris connaissance. Elle avait même parlé au procureur du
roi de Perpignan, alors en tournée à Ille, et ce magistrat avait
reçu sa déposition. Il me demanda la mienne. Je lui dis ce que je
savais, et ne lui cachai pas mes soupçons contre le muletier aragonais. Il ordonna qu'il fût arrêté sur-le-champ.

«Avez-vous appris quelque chose de Mme Alphonse? demandai-
je au procureur du roi, lorsque ma déposition fut écrite et signée.

—Cette malheureuse jeune femme est devenue folle, me dit-il
en souriant tristement. Folle! tout à fait folle. Voici ce qu'elle
conte:

—Elle était couchée, dit-elle, depuis quelques minutes, les rideaux tirés, lorsque la porte de sa chambre s'ouvrit, et quelqu'un entra. Alors Mme Alphonse était dans la ruelle du lit, la figure tournée vers la muraille. Elle ne fit pas un mouvement, persuadée que c'était son mari. Au bout d'un instant, le lit cria comme s'il était chargé d'un poids énorme. Elle eut grand-peur, mais n'osa pas tourner la tête. Cinq minutes, dix minutes peut-être . . . elle ne peut se rendre compte du temps, se passèrent de la sorte. Puis elle fit un mouvement involontaire, ou bien la personne qui était dans le lit en fit un, et elle sentit le contact de quelque chose de froid comme la glace, ce sont ses expressions. Elle s'enfonça dans la ruelle, tremblant de tous ses membres. Peu après, la porte s'ouvrit une seconde fois, et quelqu'un entra, qui dit: «Bonsoir, ma petite femme.» Bientôt après, on tira les rideaux. Elle entendit un cri étouffé. La personne qui était dans le lit, à côté d'elle, se leva sur son séant et parut étendre les bras en avant. Elle tourna la tête alors . . . et vit, dit-elle, son mari à genoux auprès du lit, la tête à la hauteur de l'oreiller, entre les bras d'une espèce de géant verdâtre qui l'étreignait avec force. Elle dit, et m'a répété vingt fois, pauvre femme! . . . elle dit qu'elle a reconnu . . . devinez-vous? La Vénus de bronze, la statue de M. de Peyrehorade . . . Depuis qu'elle est dans le pays, tout le monde en rêve. Mais je reprends le récit de la malheureuse folle. A ce spectacle, elle perdit connaissance, et probablement depuis quelques instants elle avait perdu la raison. Elle ne peut en aucune façon dire combien de temps elle demeura évanouie. Revenue à elle, elle revit le fantôme, ou la statue, comme elle dit toujours, immobile, les jambes et le bas du corps dans le lit, le buste et les bras étendus en avant, et entre ses bras son mari, sans mouvement. Un coq chanta. Alors la statue sortit du lit, laissa tomber le cadavre et sortit. Mme Alphonse se pendit à la sonnette, et vous savez le reste.»

On amena l'Espagnol; il était calme, et se défendit avec beaucoup de sang-froid et de présence d'esprit. Du reste, il ne nia pas le propos que j'avais entendu, mais il l'expliquait, prétendant qu'il n'avait voulu dire autre chose, sinon que le lendemain, reposé qu'il serait, il aurait gagné une partie de paume à son vainqueur. Je me rappelle qu'il ajouta:

«Un Aragonais, lorsqu'il est outragé, n'attend pas au lendemain pour se venger. Si j'avais cru que M. Alphonse eût voulu m'insulter, je lui aurais sur-le-champ donné de mon couteau dans le ventre.»

On compara ses souliers avec les empreintes de pas dans le jardin; ses souliers étaient beaucoup plus grands.

Enfin l'hôtelier chez qui cet homme était logé assura qu'il avait passé toute la nuit à frotter et à médicamenter un de ses mulets qui était malade.

D'ailleurs cet Aragonais était un homme bien famé, fort connu dans le pays où il venait tous les ans pour son commerce. On le relâcha donc en lui faisant des excuses.

J'oubliais la déposition d'un domestique qui le dernier avait vu M. Alphonse vivant. C'était un moment qu'il allait monter chez sa femme, et, appelant cet homme, il lui demanda d'un air d'inquiétude s'il savait où j'étais. Le domestique répondit qu'il ne m'avait point vu. Alors M. Alphonse fit un soupir et resta plus d'une minute sans parler, puis il dit: *Allons! le diable l'aura emporté aussi!*

Je demandai à cet homme si M. Alphonse avait sa bague de diamants lorsqu'il lui parla. Le domestique hésita pour répondre; enfin il dit qu'il ne le croyait pas, qu'il n'y avait fait au reste aucune attention.

«S'il avait eu cette bague au doigt, ajouta-t-il en se reprenant, je l'aurais sans doute remarquée, car je croyais qu'il l'avait donnée à Mme Alphonse.»

En questionnant cet homme, je ressentais un peu de la terreur superstitieuse que la déposition de Mme Alphonse avait répandue dans toute la maison. Le procureur du roi me regarda en souriant, et je me gardai bien d'insister.

Quelques heures après les funérailles de M. Alphonse, je me disposai à quitter Ille. La voiture de M. de Peyrehorade devait me conduire à Perpignan. Malgré son état de faiblesse, le pauvre vieillard voulut m'accompagner jusqu'à la porte de son jardin. Nous le traversâmes en silence, lui se traînant à peine, appuyé sur mon bras. Au moment de nous séparer, je jetai un dernier regard sur la Vénus. Je prévoyais bien que mon hôte, quoiqu'il ne partageât point les terreurs et les haines qu'elle inspirait à une partie de sa famille, voudrait se défaire d'un objet qui lui rappellerait sans cesse un malheur affreux. Mon intention était de l'engager à la placer dans un musée. J'hésitais pour entrer en matière, quand M. de Peyrehorade tourna machinalement la tête du côté où il me voyait regarder fixement. Il aperçut la statue et aussitôt fondit en larmes. Je l'embrassai, et, sans oser lui dire un seul mot, je montai dans la voiture.

Depuis mon départ je n'ai point appris que quelque jour nouveau soit venu éclairer cette mystérieuse catastrophe.

M. de Peyrehorade mourut quelques mois après son fils. Par son testament il m'a légué ses manuscrits, que je publierai peut-être un jour. Je n'y ai point trouvé le mémoire* relatif aux inscriptions de la Vénus.

P.S. Mon ami M. de P. vient de m'écrire de Perpignan que la statue n'existe plus. Après la mort de son mari, le premier soin de Mme de Peyrehorade fut de la faire fondre en cloche, et sous cette nouvelle forme elle sert à l'église d'Ille. Mais, ajoute M. de P., il semble qu'un mauvais sort poursuive ceux qui possèdent ce bronze. Depuis que cette cloche sonne à Ille, les vignes ont gelé deux fois.*

1837

Carmen

Πᾶσα γυνή χόλος ἔστιν. ἔχει δ'ἀγαθὰς δύο ὥρᾱς,
Τὴν μίαν ἐν θαλάμῳ, τὴν μίαν ἐν θανάτῳ.
Παλλαδασ.*

I

J'avais toujours soupçonné les géographes de ne savoir ce qu'ils disent lorsqu'ils placent le champ de bataille de Munda* dans le pays des Bastuli-Pœni,* près de la moderne Monda, à quelque deux lieues au nord de Marbella.* D'après mes propres conjectures sur le texte de l'anonyme auteur du *Bellum Hispaniense*,* et quelques renseignements recueillis dans l'excellente bibliothèque du duc d'Ossuna,* je pensais qu'il fallait chercher aux environs de Montilla* le lieu mémorable où, pour la dernière fois, César joua quitte ou double contre les champions de la république. Me trouvant en Andalousie au commencement de l'automne de 1830, je fis une assez longue excursion pour éclaircir les doutes qui me restaient encore. Un mémoire* que je publierai prochainement ne laissera plus, je l'espère, aucune incertitude dans l'esprit de tous les archéologues de bonne foi. En attendant que ma dissertation résolve enfin le problème géographique qui tient toute l'Europe savante en suspens, je veux vous raconter une petite histoire; elle ne préjuge rien sur* l'intéressante question de l'emplacement de Munda.

J'avais loué à Cordoue* un guide et deux chevaux, et m'étais mis en campagne avec les *Commentaires* de César et quelques chemises pour tout bagage. Certain jour, errant dans la partie élevée de la plaine de Cachena,* harassé de fatigue, mourant de soif, brûlé par un soleil de plomb, je donnais au diable de bon cœur César et les fils de Pompée, lorsque j'aperçus, assez loin du sentier que je suivais, une petite pelouse verte parsemée de joncs et de roseaux. Cela m'annonçait le voisinage d'une source. En effet, en m'approchant, je vis que la prétendue pelouse était un

109

marécage où se perdait un ruisseau, sortant, comme il semblait, d'une gorge étroite entre deux hauts contreforts de la sierra de Cabra.* Je conclus qu'en remontant je trouverais de l'eau plus fraîche, moins de sangsues et de grenouilles, et peut-être un peu d'ombre au milieu des rochers. A l'entrée de la gorge, mon cheval hennit, et un autre cheval, que je ne voyais pas, lui répondit aussitôt. A peine eus-je fait une centaine de pas, que la gorge, s'élargissant tout à coup, me montra une espèce de cirque naturel parfaitement ombragé par la hauteur des escarpements qui l'entouraient. Il était impossible de rencontrer un lieu qui promît au voyageur une halte plus agréable. Au pied de rochers à pic, la source s'élançait en bouillonnant, et tombait dans un petit bassin tapissé d'un sable blanc comme la neige. Cinq à six beaux chênes verts, toujours à l'abri du vent et rafraîchis par la source, s'élevaient sur ses bords, et la couvraient de leur épais ombrage; enfin, autour du bassin, une herbe fine, lustrée, offrait un lit meilleur qu'on n'en eût trouvé dans aucune auberge à dix lieues à la ronde.

A moi n'appartenait pas l'honneur d'avoir découvert un si beau lieu. Un homme s'y reposait déjà, et sans doute dormait, lorsque j'y pénétrai. Réveillé par les hennissements, il s'était levé, et s'était rapproché de son cheval, qui avait profité du sommeil de son maître pour faire un bon repas de l'herbe aux environs. C'était un jeune gaillard de taille moyenne, mais d'apparence robuste, au regard sombre et fier. Son teint, qui avait pu être beau, était devenu, par l'action du soleil, plus foncé que ses cheveux. D'une main il tenait le licol de sa monture, de l'autre une espingole* de cuivre. J'avouerai que d'abord l'espingole et l'air farouche du porteur me surprirent quelque peu; mais je ne croyais plus aux voleurs, à force d'en entendre parler et de n'en rencontrer jamais. D'ailleurs j'avais vu tant d'honnêtes fermiers s'armer jusqu'aux dents pour aller au marché, que la vue d'une arme à feu ne m'autorisait pas à mettre en doute la moralité de l'inconnu.—Et puis, me disais-je, que ferait-il de mes chemises et de mes *Commentaires* Elzévir?* Je saluai donc l'homme à l'espingole d'un signe de tête familier,* et je lui demandai en souriant si j'avais troublé son sommeil. Sans me répondre, il me toisa de la tête aux pieds; puis, comme satisfait de son examen, il considéra avec la même attention mon guide, qui s'avançait. Je vis celui-ci pâlir et s'arrêter en montrant une terreur évidente. Mauvaise rencontre! me dis-je. Mais la prudence me conseilla aussitôt de ne laisser voir aucune inquiétude. Je mis

pied à terre; je dis au guide de débrider, et, m'agenouillant au
bord de la source, j'y plongeai ma tête et mes mains; puis je bus
une bonne gorgée, couché à plat ventre, comme les mauvais
soldats de Gédéon.*

J'observais cependant mon guide et l'inconnu. Le premier s'approchait bien à contrecœur; l'autre semblait n'avoir pas de mauvais
desseins contre nous, car il avait rendu la liberté à son cheval, et
son espingole, qu'il tenait d'abord horizontale, était maintenant
dirigée vers la terre.

Ne croyant pas* devoir me formaliser du peu de cas qu'on avait
paru faire de ma personne, je m'étendis sur l'herbe, et d'un air
dégagé je demandai à l'homme à l'espingole s'il n'avait pas un
briquet sur lui. En même temps je tirais mon étui à cigares.
L'inconnu, toujours sans parler, fouilla dans sa poche, prit son
briquet, et s'empressa de me faire du feu. Évidemment il s'humanisait; car il s'assit en face de moi, toutefois sans quitter son
arme. Mon cigare allumé, je choisis le meilleur de ceux qui me
restaient, et je lui demandai s'il fumait.

—Oui, monsieur, répondit-il.

C'étaient les premiers mots qu'il faisait entendre, et je remarquai
qu'il ne prononçait pas l's à la manière andalouse,[1] d'où je conclus
que c'était un voyageur comme moi, moins archéologue
seulement.

—Vous trouverez celui-ci assez bon, lui dis-je en lui présentant
un véritable régalia* de la Havane.

Il me fit une légère inclination de tête, alluma son cigare au
mien, me remercia d'un autre signe de tête, puis se mit à fumer
avec l'apparence d'un très grand plaisir.

—Ah! s'écria-t-il en laissant échapper lentement sa première
bouffée par la bouche et les narines, comme il y avait longtemps
que je n'avais fumé!

En Espagne, un cigare donné et reçu établit des relations d'hospitalité, comme en Orient le partage du pain et du sel. Mon
homme se montra plus causant que je ne l'avais espéré. D'ailleurs,
bien qu'il se dît habitant du partido* de Montilla, il paraissait
connaître le pays assez mal. Il ne savait pas le nom de la charmante

[1] Les Andalous aspirent l's et la confondent dans la prononciation avec le *c* doux
et le *z*, que les Espagnols prononcent comme le *th* anglais. Sur le seul mot
Señor on peut reconnaître un Andalou.

vallée où nous nous trouvions; il ne pouvait nommer aucun village des alentours; enfin, interrogé par moi s'il n'avait pas vu aux environs des murs détruits, de larges tuiles à rebords,* des pierres sculptées, il confessa qu'il n'avait jamais fait attention à pareilles choses. En revanche, il se montra expert en matière de chevaux. Il critiqua le mien, ce qui n'était pas difficile; puis il me fit la généalogie du sien, qui sortait du fameux haras* de Cordoue: noble animal, en effet, si dur à la fatigue, à ce que prétendait son maître, qu'il avait fait une fois trente lieues* dans un jour, au galop ou au grand trot. Au milieu de sa tirade,* l'inconnu s'arrêta brusquement, comme surpris et fâché d'en avoir trop dit. «C'est que j'étais très pressé d'aller à Cordoue, reprit-il avec quelque embarras. J'avais à solliciter les juges pour un procès . . .» En parlant, il regardait mon guide Antonio, qui baissait les yeux.

L'ombre et la source me charmèrent tellement, que je me souvins de quelques tranches d'excellent jambon que mes amis de Montilla avaient mis dans la besace de mon guide. Je les fis apporter, et j'invitai l'étranger à prendre sa part de la collation impromptue. S'il n'avait pas fumé depuis longtemps, il me parut vraisemblable qu'il n'avait pas mangé depuis quarante-huit heures au moins. Il dévorait comme un loup affamé. Je pensai que ma rencontre avait été providentielle pour le pauvre diable. Mon guide, cependant, mangeait peu, buvait encore moins, et ne parlait pas du tout, bien que depuis le commencement de notre voyage il se fût révélé à moi comme un bavard sans pareil. La présence de notre hôte* semblait le gêner, et une certaine méfiance les éloignait l'un de l'autre sans que j'en devinasse positivement* la cause.

Déjà les dernières miettes du pain et du jambon avaient disparu; nous avions fumé chacun un second cigare; j'ordonnai au guide de brider nos chevaux, et j'allais prendre congé de mon nouvel ami, lorsqu'il me demanda où je comptais passer la nuit.

Avant que j'eusse fait attention à un signe de mon guide, j'avais répondu que j'allais à la venta del Cuervo.*

—Mauvais gîte pour une personne comme vous, monsieur . . . J'y vais, et, si vous me permettez de vous accompagner, nous ferons route ensemble.

—Très volontiers, dis-je en montant à cheval.

Mon guide, qui me tenait l'étrier, me fit un nouveau signe des yeux. J'y répondis en haussant les épaules, comme pour l'assurer que j'étais parfaitement tranquille, et nous nous mîmes en chemin.

Les signes mystérieux d'Antonio, son inquiétude, quelques mots échappés à l'inconnu, surtout sa course de trente lieues et l'explication peu plausible qu'il en avait donnée, avaient déjà formé mon opinion sur le compte de mon compagnon de voyage. Je ne doutai pas que je n'eusse affaire à un contrebandier, peut-être à un voleur; que m'importait? Je connaissais assez le caractère espagnol pour être très sûr de n'avoir rien à craindre d'un homme qui avait mangé et fumé avec moi. Sa présence même était une protection assurée contre toute mauvaise rencontre. D'ailleurs, j'étais bien aise de savoir ce que c'est qu'un brigand. On n'en voit pas tous les jours, et il y a un certain charme à se trouver auprès d'un être dangereux, surtout lorsqu'on le sent doux et apprivoisé.

J'espérais amener par degrés l'inconnu à me faire des confidences, et, malgré les clignements d'yeux de mon guide, je mis la conversation sur les voleurs de grand chemin. Bien entendu que j'en parlai avec respect. Il y avait alors en Andalousie un fameux bandit nommé José-Maria,* dont les exploits étaient dans toutes les bouches. «Si j'étais à côté de José-Maria?» me disais-je . . . Je racontai les histoires que je savais de ce héros, toutes à sa louange d'ailleurs, et j'exprimai hautement mon admiration pour sa bravoure et sa générosité.

—José-Maria n'est qu'un drôle,* dit froidement l'étranger.

«Se rend-il justice, ou bien est-ce excès de modestie de sa part?» me demandai-je mentalement; car, à force de considérer mon compagnon, j'étais parvenu à lui appliquer le signalement de José-Maria, que j'avais lu affiché aux portes de mainte ville d'Andalousie.—Oui, c'est bien lui . . . Cheveux blonds, yeux bleus, grande bouche, belles dents, les mains petites; une chemise fine, une veste de velours à boutons d'argent, des guêtres de peau blanche, un cheval bai . . . Plus de doute! Mais respectons son incognito.

Nous arrivâmes à la venta. Elle était telle qu'il me l'avait dépeinte, c'est-à-dire une des plus misérables que j'eusse encore rencontrées. Une grande pièce servait de cuisine, de salle à manger et de chambre à coucher. Sur une pierre plate, le feu se faisait au milieu de la chambre et la fumée sortait par un trou pratiqué dans le toit, ou plutôt s'arrêtait, formant un nuage à quelques pieds au-dessus du sol. Le long du mur, on voyait étendues par terre cinq ou six vieilles couvertures de mulets; c'étaient les lits des voyageurs. A vingt pas de la maison, ou plutôt de l'unique pièce que je viens de décrire, s'élevait une espèce de hangar servant d'écurie. Dans ce charmant séjour, il n'y avait d'autres êtres humains, du moins pour le moment, qu'une vieille femme et une petite fille de dix à douze ans, toutes les deux de couleur de suie et vêtues d'horribles haillons.—Voilà tout ce qui reste, me dis-je, de la population de l'antique Munda Bætica!* O César! ô Sextus Pompée! que vous seriez surpris si vous reveniez au monde!

En apercevant mon compagnon, la vieille laissa échapper une exclamation de surprise.

—Ah! seigneur don José! s'écria-t-elle.

Don José fronça le sourcil, et leva une main d'un geste d'autorité qui arrêta la vieille aussitôt. Je me tournai vers mon guide, et, d'un signe imperceptible, je lui fis comprendre qu'il n'avait rien à m'apprendre sur le compte de l'homme avec qui j'allais passer la nuit. Le souper fut meilleur que je ne m'y attendais. On nous servit, sur une petite table haute d'un pied, un vieux coq fricassé avec du riz et force piments, puis des piments à l'huile, enfin du *gaspacho*,* espèce de salade de piments. Trois plats ainsi épicés nous obligèrent de recourir souvent à une outre de vin de Montilla qui se trouva délicieux. Après avoir mangé, avisant une mandoline accrochée contre la muraille,—il y a partout des mandolines en Espagne,—je demandai à la petite fille qui nous servait si elle savait en jouer.

—Non, répondit-elle; mais don José en joue si bien!

—Soyez assez bon, lui dis-je, pour me chanter quelque chose; j'aime à la passion votre musique nationale.

—Je ne puis rien refuser à un monsieur si honnête qui me donne de si excellents cigares, s'écria don José d'un air de bonne humeur.

Et, s'étant fait donner la mandoline, il chanta en s'accompagnant. Sa voix était rude, mais pourtant agréable, l'air mélancolique et bizarre; quant aux paroles, je n'en compris pas un mot.

—Si je ne me trompe, lui dis-je, ce n'est pas un air espagnol que vous venez de changer. Cela ressemble aux *zorzicos*,* que j'ai entendus dans les *Provinces*,[1] et les paroles doivent être en langue basque.

---

[1] *Les provinces privilégiées*, jouissant de *fueros** particuliers, c'est-à-dire l'Alava, la Biscaïe, la Guipuzcoa et une partie de la Navarre. Le basque est la langue du pays.

—Oui, répondit don José d'un air sombre.

Il posa la mandoline à terre, et, les bras croisés, il se mit à contempler le feu qui s'éteignait, avec une singulière expression de tristesse. Éclairée par une lampe posée sur la petite table, sa figure, à la fois noble et farouche, me rappelait le Satan de Milton. Comme lui peut-être, mon compagnon songeait au séjour qu'il avait quitté, à l'exil qu'il avait encouru par une faute. J'essayai de ranimer la conversation mais il ne répondit pas, absorbé qu'il était dans ses tristes pensées. Déjà la vieille s'était couchée dans un coin de la salle, à l'abri d'une couverture trouée tendue sur une corde. La petite fille l'avait suivie dans cette retraite réservée au beau sexe. Mon guide alors, se levant, m'invita à le suivre à l'écurie; mais, à ce mot, don José, comme réveillé en sursaut, lui demanda d'un ton brusque où il allait.

—A l'écurie, répondit le guide.

—Pour quoi faire? les chevaux ont à manger. Couche ici, Monsieur le permettra.

—Je crains que* le cheval de Monsieur ne soit malade; je voudrais que Monsieur le vît: peut-être saura-t-il ce qu'il faut lui faire.

Il était évident qu'Antonio voulait me parler en particulier; mais je ne me souciais pas* de donner des soupçons à don José, et, au point où nous en étions, il me semblait que le meilleur parti à prendre était de montrer la plus grande confiance. Je répondis donc à Antonio que je n'entendais rien aux chevaux et que j'avais envie de dormir. Don José le suivit à l'écurie, d'où bientôt il revint seul. Il me dit que le cheval n'avait rien, mais que mon guide le trouvait un animal si précieux, qu'il le frottait avec sa veste pour le faire transpirer, et qu'il comptait passer la nuit dans cette douce occupation. Cependant je m'étais étendu sur les couvertures de mulets, soigneusement enveloppé dans mon manteau, pour ne pas les toucher. Après m'avoir demandé pardon de la liberté qu'il prenait de se mettre auprès de moi, don José se coucha devant la porte, non sans avoir renouvelé l'amorce de son espingole, qu'il eut soin de placer sous la besace qui lui servait d'oreiller. Cinq minutes après nous être mutuellement souhaité le bonsoir, nous étions l'un et l'autre profondément endormis.

Je me croyais assez fatigué pour pouvoir dormir dans un pareil gîte, mais, au bout d'une heure, de très désagréables démangeaisons m'arrachèrent à mon premier somme. Dès que j'en eus compris la nature, je me levai, persuadé qu'il valait mieux passer le reste de la nuit à la belle étoile que sous ce toit inhospitalier. Marchant sur la pointe du pied, je gagnai la porte, j'enjambai par-dessus la couche* de don José, qui dormait du sommeil du juste, et je fis si bien que je sortis de la maison sans qu'il s'éveillât. Auprès de la porte était un large banc de bois; je m'étendis dessus, et m'arrangeai de mon mieux pour achever ma nuit. J'allais fermer les yeux pour la seconde fois, quand il me sembla voir passer devant moi l'ombre d'un homme et l'ombre d'un cheval, marchant l'un et l'autre sans faire le moindre bruit. Je me mis sur mon séant, et je crus reconnaître Antonio. Surpris de le voir hors de l'écurie à pareille heure, je me levai et marchai à sa rencontre. Il s'était arrêté, m'ayant aperçu d'abord.

—Où est-il? me demanda Antonio à voix basse.

—Dans la venta; il dort; il n'a pas peur des punaises. Pourquoi donc emmenez-vous ce cheval?

Je remarquai alors que, pour ne pas faire de bruit en sortant du hangar, Antonio avait soigneusement enveloppé les pieds de l'animal avec les débris d'une vieille couverture.

—Parlez plus bas, me dit Antonio, au nom de Dieu! Vous ne savez pas qui est cet homme-là. C'est José Navarro, le plus insigne bandit de l'Andalousie. Toute la journée je vous ai fait des signes que vous n'avez pas voulu comprendre.

—Bandit ou non, que m'importe? répondis-je; il ne nous a pas volés, et je parierais qu'il n'en a pas envie.

—A la bonne heure; mais il y a deux cents ducats pour qui le livrera. Je sais un poste* de lanciers à une lieue et demie d'ici, et avant qu'il soit jour, j'amènerai quelques gaillards solides. J'aurais pris son cheval, mais il est si méchant que nul que le Navarro ne peut en approcher.

—Que le diable vous emporte! lui dis-je. Quel mal vous a fait ce pauvre homme pour le dénoncer? D'ailleurs, êtes-vous sûr qu'il soit le brigand que vous dites?

—Parfaitement sûr; tout à l'heure, il m'a suivi dans l'écurie et m'a dit: «Tu as l'air de me connaître, si tu dis à ce bon monsieur qui je suis, je te fais sauter la cervelle.» Restez, monsieur, restez auprès de lui; vous n'avez rien à craindre. Tant qu'il vous saura là, il ne se méfiera de rien.

Tout en parlant, nous nous étions déjà assez éloignés de la venta pour qu'on ne pût entendre les fers du cheval. Antonio l'avait débarrassé en un clin d'œil des guenilles dont il lui avait enveloppé les pieds; il se préparait à enfourcher sa monture. J'essayai prières et menaces pour le retenir.

—Je suis un pauvre diable, monsieur, me disait-il; deux cents ducats ne sont pas à perdre, surtout quand il s'agit de délivrer le pays de pareille vermine. Mais prenez garde; si le Navarro se réveille, il sautera sur son espingole, et gare à vous! Moi je suis trop avancé pour reculer; arrangez-vous comme vous pourrez.

Le drôle était en selle; il piqua des deux,* et dans l'obscurité je l'eus bientôt perdu de vue.

J'étais fort irrité contre mon guide et passablement inquiet. Après un instant de réflexion, je me décidai et rentrai dans la venta. Don José dormait encore, réparant sans doute en ce moment les fatigues et les veilles de plusieurs journées aventureuses. Je fus obligé de le secouer rudement pour l'éveiller. Jamais je n'oublierai son regard farouche et le mouvement qu'il fit pour saisir son espingole, que, par mesure de précaution,* j'avais mise à quelque distance de sa couche.

—Monsieur, lui dis-je, je vous demande pardon de vous éveiller; mais j'ai une sotte question à vous faire: seriez-vous bien aise de voir arriver ici une demi-douzaine de lanciers?

Il sauta en pieds,* et d'une voix terrible:

—Qui vous l'a dit? me demanda-t-il.

—Peu importe d'où vient l'avis, pourvu qu'il soit bon.

—Votre guide m'a trahi, mais il me le paiera. Où est-il?

—Je ne sais . . . Dans l'écurie, je pense . . . mais quelqu'un m'a dit . . .

—Qui vous a dit? . . . Ce ne peut être la vieille . . .

—Quelqu'un que je ne connais pas . . . Sans plus de paroles, avez-vous, oui ou non, des motifs pour ne pas attendre les soldats? Si vous en avez, ne perdez pas de temps, sinon bonsoir, et je vous demande pardon d'avoir interrompu votre sommeil.

—Ah! votre guide! votre guide! Je m'en étais méfié d'abord . . . mais . . . son compte est bon!* . . . Adieu, monsieur. Dieu vous rende le service que je vous dois. Je ne suis pas tout à fait aussi mauvais que vous me croyez . . . oui, il y a encore en moi quelque chose qui mérite la pitié d'un galant homme . . . Adieu, monsieur . . . Je n'ai qu'un regret, c'est de ne pouvoir m'acquitter envers vous.

—Pour prix du service que je vous ai rendu, promettez-moi,

don José, de ne soupçonner personne, de ne pas songer à la vengeance. Tenez, voilà des cigares pour votre route; bon voyage!

Et je lui tendis la main.

Il me la serra sans répondre, prit son espingole et sa besace, et, après avoir dit quelques mots à la vieille dans un argot que je ne pus comprendre, il courut au hangar. Quelques instants après, je l'entendais galoper dans la campagne.

Pour moi, je me recouchai sur mon banc, mais je ne me rendormis point. Je me demandais si j'avais eu raison de sauver de la potence un voleur, et peut-être un meurtrier, et cela seulement parce que j'avais mangé du jambon avec lui et du riz à la valencienne.* N'avais-je pas trahi mon guide qui soutenait la cause des lois; ne l'avais-je pas exposé à la vengeance d'un scélérat? Mais les devoirs de l'hospitalité!* . . . Préjugé de sauvage, me disais-je; j'aurai à répondre de tous les crimes que le bandit va commettre . . . Pourtant est-ce un préjugé que cet instinct de conscience qui résiste à tous les raisonnements? Peut-être, dans la situation délicate où je me trouvais, ne pouvais-je m'en tirer sans remords. Je flottais encore dans la plus grande incertitude au sujet de la moralité de mon action, lorsque je vis paraître une demi-douzaine de cavaliers avec Antonio, qui se tenait prudemment à l'arrière-garde. J'allai au-devant d'eux, et les prévins que le bandit avait pris la fuite depuis plus de deux heures. La vieille, interrogée par le brigadier,* répondit qu'elle connaissait le Navarro, mais que, vivant seule, elle n'aurait jamais osé risquer sa vie en le dénonçant. Elle ajouta que son habitude, lorsqu'il venait chez elle, était de partir toujours au milieu de la nuit. Pour moi, il me fallut aller, à quelques lieues de là, exhiber mon passeport et signer une déclaration devant un alcade,* après quoi on me permit de reprendre mes recherches archéologiques. Antonio me gardait rancune, soupçonnant que c'était moi qui l'avais empêché de gagner les deux cents ducats. Pourtant nous nous séparâmes bons amis à Cordoue; là, je lui donnai une gratification aussi forte que l'état de mes finances pouvait me le permettre.

II

Je passai quelques jours à Cordoue. On m'avait indiqué certain manuscrit de la bibliothèque des Dominicains, où je devais trouver des renseignements intéressants sur l'antique Munda. Fort bien accueilli par les bons Pères, je passais les journées dans leur couvent, et le soir je me promenais par la ville. A Cordoue, vers le coucher du soleil, il y a quantité d'oisifs sur le quai qui borde la rive droite du Guadalquivir. Là, on respire les émanations d'une tannerie qui conserve encore l'antique renommée du pays pour la préparation des cuirs; mais, en revanche, on y jouit d'un spectacle qui a bien son mérite. Quelques minutes avant l'*angélus*, un grand nombre de femmes se rassemblent sur le bord du fleuve, au bas du quai, lequel est assez élevé. Pas un homme n'oserait se mêler à cette troupe. Aussitôt que l'*angélus* sonne, il est censé qu'il fait nuit.* Au dernier coup de cloche, toutes ces femmes se déshabillent et entrent dans l'eau. Alors ce sont des cris, des rires, un tapage infernal. Du haut du quai, les hommes contemplent les baigneuses, écarquillent les yeux, et ne voient pas grand-chose. Cependant ces formes blanches et incertaines qui se dessinent sur le sombre azur du fleuve, font travailler les esprits poétiques, et, avec un peu d'imagination, il n'est pas difficile de se représenter Diane et ses nymphes au´bain, sans avoir à craindre le sort d'Actéon.*—On m'a dit que quelques mauvais garnements se cotisèrent certain jour, pour graisser la patte au sonneur de la cathédrale et lui faire sonner l'*angélus* vingt minutes avant l'heure légale. Bien qu'il fît encore grand jour, les nymphes du Guadalquivir n'hésitèrent pas, et se fiant plus à l'*angélus* qu'au soleil elles firent en sûreté de conscience leur toilette de bain qui est toujours des plus simples. Je n'y étais pas. De mon temps le sonneur était incorruptible, le crépuscule peu clair et un chat seulement aurait pu distinguer la plus vieille marchande d'oranges de la plus jolie grisette* de Cordoue.

Un soir, à l'heure où l'on ne voit plus rien, je fumais appuyé sur le parapet du quai, lorsqu'une femme, remontant l'escalier qui conduit à la rivière, vint s'asseoir près de moi. Elle avait dans les cheveux un gros bouquet de jasmin, dont les pétales exhalent le soir une odeur enivrante. Elle était simplement, peut-être pauvrement vêtue, tout en noir, comme la plupart des grisettes dans la soirée. Les femmes comme il faut ne portent le noir que le matin; le soir, elles s'habillent *a la francesa*. En arrivant auprès de moi, ma baigneuse laissa glisser sur ses épaules la mantille* qui lui couvrait la tête, et, *à l'obscure clarté qui tombe des étoiles*,* je vis qu'elle était petite, jeune, bien faite, et qu'elle avait de très grands yeux. Je jetai mon cigare aussitôt. Elle comprit cette attention d'une politesse toute française, et se hâta de me dire qu'elle aimait beaucoup l'odeur du tabac, et que même elle fumait, quand elle trouvait des *papelitos** bien doux. Par bonheur, j'en avais de tels dans mon étui, et je m'empressai de lui en offrir. Elle daigna en prendre un, et l'alluma à un bout de corde enflammée* qu'un enfant nous apporta moyennant un sou. Mêlant nos fumées, nous causâmes si longtemps, la belle baigneuse et moi, que nous nous trouvâmes presque seuls sur le quai. Je crus n'être point indiscret en lui offrant d'aller prendre des glaces à la *neveria*.[1] Après une hésitation modeste elle accepta; mais avant de se décider, elle désira savoir quelle heure il était. Je fis sonner ma montre,* et cette sonnerie parut l'étonner beaucoup.

—Quelles inventions on a chez vous, messieurs les étrangers! De quel pays êtes-vous, monsieur? Anglais sans doute?[2]

—Français et votre grand serviteur. Et vous, mademoiselle, ou madame, vous êtes probablement de Cordoue?

—Non.

—Vous êtes du moins Andalouse. Il me semble le reconnaître à votre doux parler.

—Si vous remarquez si bien l'accent du monde, vous devez bien deviner qui je suis.

—Je crois que vous êtes du pays de Jésus, à deux pas du paradis.

(J'avais appris cette métaphore, qui désigne l'Andalousie, de mon ami Francisco Sevilla,* picador bien connu.)

—Bah! le paradis . . . les gens d'ici disent qu'il n'est pas fait pour nous.

—Alors, vous seriez donc Mauresque, ou . . . je m'arrêtai, n'osant dire: Juive.

—Allons, allons! vous voyez bien que je suis bohémienne; voulez-vous que je vous dise *la baji*?[3] Avez-vous entendu parler de la Carmencita? C'est moi.

J'étais alors un tel mécréant, il y a de cela quinze ans, que je

---

[1] Café pourvu d'une glacière, ou plutôt d'un dépôt de neige. En Espagne, il n'y a guère de village qui n'ait sa *neveria*.

[2] En Espagne, tout voyageur qui ne porte pas avec lui des échantillons de calicot ou de soieries passe pour un Anglais, *Inglesito*. Il en est de même en Orient. A Chalcis, j'ai eu l'honneur d'être annoncé comme un Μιλόρδος Φραντσέσος.

[3] La bonne aventure.*

ne reculai pas d'horreur en me voyant à côté d'une sorcière. «Bon! me dis-je; la semaine passée, j'ai soupé avec un voleur de grand chemin, allons aujourd'hui prendre des glaces avec une servante du diable. En voyage il faut tout voir.» J'avais encore un autre motif pour cultiver sa connaissance. Sortant du collège, je l'avouerai à ma honte, j'avais perdu quelque temps à étudier les sciences occultes et même plusieurs fois j'avais tenté de conjurer l'esprit de ténèbres. Guéri depuis longtemps de la passion de semblables recherches, je n'en conservais pas moins un certain attrait de curiosité pour toutes les superstitions, et me faisais une fête d'apprendre jusqu'où s'était élevé l'art de la magie parmi les bohémiens.

Tout en causant, nous étions entrés dans la *neveria*, et nous nous étions assis à une petite table éclairée par une bougie enfermée dans un globe de verre. J'eus alors tout le loisir d'examiner ma *gitana*,* pendant que quelques honnêtes gens s'ébahissaient, en prenant leurs glaces, de me voir en si bonne compagnie.

Je doute fort que mademoiselle Carmen fût de race pure, du moins elle était infiniment plus jolie que toutes les femmes de sa nation que j'aie jamais rencontrées. Pour qu'une femme soit belle, disent les Espagnols, il faut qu'elle réunisse trente *si*,* ou, si l'on veut, qu'on puisse la définir au moyen de dix adjectifs applicables chacun à trois parties de sa personne. Par exemple, elle doit avoir trois choses noires: les yeux, les paupières et les sourcils; trois fines, les doigts, les lèvres, les cheveux, etc. Voyez Brantôme* pour le reste. Ma bohémienne ne pouvait prétendre à tant de perfection. Sa peau, d'ailleurs parfaitement unie, approchait fort de la teinte du cuivre. Ses yeux étaient obliques, mais admirablement fendus; ses lèvres un peu fortes, mais bien dessinées et laissant voir des dents plus blanches que des amandes sans leur peau. Ses cheveux, peut-être un peu gros, étaient noirs, à reflets bleus comme l'aile d'un corbeau, longs et luisants. Pour ne pas vous fatiguer d'une description trop prolixe, je vous dirai en somme qu'à chaque défaut elle réunissait une qualité qui ressortait peut-être plus fortement par le contraste. C'était une beauté étrange et sauvage, une figure qui étonnait d'abord, mais qu'on ne pouvait oublier. Ses yeux surtout avaient une expression à la fois voluptueuse et farouche que je n'ai trouvée depuis à aucun regard humain. Œil de bohémien, œil de loup, c'est un dicton espagnol qui dénote une bonne observation. Si vous n'avez pas le temps d'aller au jardin des Plantes* pour étudier le regard d'un loup, considérez votre chat quand il guette un moineau.

On sent qu'il eût été ridicule de se faire tirer la bonne aventure dans un café. Aussi je priai la jolie sorcière de me permettre de l'accompagner à son domicile; elle y consentit sans difficulté, mais elle voulut connaître encore la marche du temps, et me pria de nouveau de faire sonner ma montre.

—Est-elle vraiment d'or? dit-elle en la considérant avec une excessive attention.

Quand nous nous remîmes en marche, il était nuit close; la plupart des boutiques étaient fermées et les rues presque désertes. Nous passâmes le pont du Guadalquivir, et à l'extrémité du faubourg, nous nous arrêtâmes devant une maison qui n'avait nullement l'apparence d'un palais. Un enfant nous ouvrit. La bohémienne lui dit quelques mots dans une langue à moi inconnue, que je sus depuis être la *rommani** ou *chipe calli*, l'idiome des gitanos. Aussitôt l'enfant disparut, nous laissant dans une chambre assez vaste, meublée d'une petite table, de deux tabourets et d'un coffre. Je ne dois point oublier une jarre d'eau, un tas d'oranges et une botte d'oignons.

Dès que nous fûmes seuls, la bohémienne tira de son coffre des cartes qui paraissaient avoir beaucoup servi, un aimant, un caméléon desséché, et quelques autres objets nécessaires à son art. Puis elle me dit de faire la croix dans ma main gauche avec une pièce de monnaie, et les cérémonies magiques commencèrent. Il est inutile de vous rapporter ses prédictions, et, quant à sa manière d'opérer, il était évident qu'elle n'était pas sorcière à demi.

Malheureusement nous fûmes bientôt dérangés. La porte s'ouvrit tout à coup avec violence, et un homme, enveloppé jusqu'aux yeux dans un manteau brun, entra dans la chambre en apostrophant la bohémienne d'une façon peu gracieuse. Je n'entendais pas* ce qu'il disait, mais le ton de sa voix indiquait qu'il était de fort mauvaise humeur. A sa vue, la gitane ne montra ni surprise ni colère, mais elle accourut à sa rencontre et, avec une volubilité extraordinaire, lui adressa quelques phrases dans la langue mystérieuse dont elle s'était déjà servie devant moi. Le mot *payllo*, souvent répété, était le seul mot que je comprisse. Je savais que les bohémiens désignent ainsi tout homme étranger à leur race. Supposant qu'il s'agissait de moi, je m'attendais à une explication délicate; déjà j'avais la main sur le pied d'un des tabourets, et je syllogisais* à part moi pour deviner le moment précis où il conviendrait de le jeter à la tête de l'intrus. Celui-ci repoussa rudement la bohémienne, et s'avança vers moi; puis reculant d'un pas:

—Ah! monsieur, dit-il, c'est vous!

Je le regardai à mon tour, et reconnus mon ami don José. En ce moment, je regrettais un peu de ne pas l'avoir laissé pendre.

—Eh! c'est vous, mon brave, m'écriai-je en riant le moins jaune que je pus;* vous avez interrompu mademoiselle au moment où elle m'annonçait des choses bien intéressantes.

—Toujours la même! Ça finira, dit-il entre ses dents, attachant sur elle un regard farouche.

Cependant la bohémienne continuait à lui parler dans sa langue. Elle s'animait par degrés. Son œil s'injectait de sang et devenait terrible, ses traits se contractaient, elle frappait du pied. Il me sembla qu'elle le pressait vivement de faire quelque chose à quoi il montrait de l'hésitation. Ce que c'était, je croyais ne le comprendre que trop à la voir passer et repasser rapidement sa petite main sous son menton. J'étais tenté de croire qu'il s'agissait d'une gorge à couper, et j'avais quelques soupçons que cette gorge ne fût la mienne.

A tout ce torrent d'éloquence, don José ne répondit que par deux ou trois mots prononcés d'un ton bref. Alors la bohémienne lui lança un regard de profond mépris; puis s'asseyant à la turque dans un coin de la chambre, elle choisit une orange, la pela et se mit à la manger.

Don José me prit le bras, ouvrit la porte et me conduisit dans la rue. Nous fîmes environ deux cents pas dans le plus profond silence. Puis, étendant la main:

—Toujours tout droit, dit-il, et vous trouverez le pont.

Aussitôt il me tourna le dos et s'éloigna rapidement. Je revins à mon auberge un peu penaud et d'assez mauvaise humeur. Le pire fut qu'en me déshabillant, je m'aperçus que ma montre me manquait.

Diverses considérations m'empêchèrent d'aller la réclamer le lendemain ou de solliciter M. le corrégidor* pour qu'il voulût bien la faire chercher. Je terminai mon travail sur le manuscrit des Dominicains et je partis pour Séville. Après plusieurs mois de courses errantes* en Andalousie, je voulus retourner à Madrid, et il me fallut repasser par Cordoue. Je n'avais pas l'intention d'y faire un long séjour, car j'avais pris en grippe cette belle ville et les baigneuses du Guadalquivir. Cependant quelques amis à revoir, quelques commissions à faire devaient me retenir au moins trois ou quatre jours dans l'antique capitale des princes musulmans.

Dès que je reparus au couvent des Dominicains, un des pères qui m'avait toujours montré un vif intérêt dans mes recherches sur l'emplacement de Munda, m'accueillit les bras ouverts en s'écriant:

—Loué soit le nom de Dieu! Soyez le bienvenu, mon cher ami. Nous vous croyions tous mort, et moi, qui vous parle, j'ai récité bien des *pater* et des *ave*, que je ne regrette pas, pour le salut de votre âme. Ainsi vous n'êtes pas assassiné, car pour volé nous savons que vous l'êtes?

—Comment cela? lui demandai-je un peu surpris.

—Oui, vous savez bien cette belle montre à répétition que vous faisiez sonner dans la bibliothèque, quand nous vous disions qu'il était temps d'aller au chœur. Eh bien! elle est retrouvée, on vous la rendra.

—C'est-à-dire, interrompis-je, un peu décontenancé, que je l'avais égarée . . .

Le coquin est sous les verrous, et, comme on savait qu'il était homme à tirer un coup de fusil à un chrétien pour lui prendre une piécette,* nous mourions de peur qu'il ne vous eût tué. J'irai avec vous chez le corrégidor, et nous vous ferons rendre votre belle montre. Et puis, avisez-vous de dire* là-bas* que la justice ne sait pas son métier en Espagne!

—Je vous avoue, lui dis-je, que j'aimerais mieux perdre ma montre que de témoigner en justice pour faire pendre un pauvre diable, surtout parce que . . . parce que . . .

—Oh! n'ayez aucune inquiétude; il est bien recommandé,* et on ne peut le pendre deux fois. Quand je dis pendre, je me trompe. C'est un hidalgo* que votre voleur; il sera donc *garrotté** après-demain sans rémission.[1] Vous voyez qu'un vol de plus ou de moins ne changera rien à son affaire. Plût à Dieu qu'il n'eût que volé! mais il a commis plusieurs meurtres, tous plus horribles les uns que les autres.

---

[1] En 1830, la noblesse jouissait encore de ce privilège. Aujourd'hui, sous le régime constitutionnel, les vilains* ont conquis le droit au *garrote*.

124

—Comment se nomme-t-il?

—On le connaît dans le pays sous le nom de José Navarro, mais il a encore un autre nom basque que ni vous ni moi ne prononcerons jamais. Tenez, c'est un homme à voir, et vous qui aimez à connaître les singularités du pays, vous ne devez pas négliger d'apprendre comment en Espagne les coquins sortent de ce monde. Il est en chapelle,* et le père Martinez vous y conduira.

Mon dominicain insista tellement pour que je visse les apprêts du *«petit pendement pien choli»*,* que je ne pus m'en défendre. J'allai voir le prisonnier, muni d'un paquet de cigares qui, je l'espérais, devaient lui faire excuser mon indiscrétion.

On m'introduisit auprès de don José, au moment où il prenait son repas. Il me fit un signe de tête assez froid, et me remercia poliment du cadeau que je lui apportais. Après avoir compté les cigares du paquet que j'avais mis entre ses mains, il en choisit un certain nombre, et me rendit le reste, observant qu'il n'avait pas besoin d'en prendre davantage.

Je lui demandai si, avec un peu d'argent, ou par le crédit de mes amis, je pourrais obtenir quelque adoucissement à son sort. D'abord il haussa les épaules en souriant avec tristesse; bientôt, se ravisant, il me pria de faire dire une messe pour le salut de son âme.

—Voudriez-vous, ajouta-t-il timidement, voudriez-vous en faire dire une autre pour une personne qui vous a offensé?

—Assurément, mon cher, lui dis-je; mais personne, que je sache, ne m'a offensé en ce pays.

Il me prit la main et la serra d'un air grave. Après un moment de silence, il reprit:

—Oserai-je encore vous demander un service? . . . Quand vous reviendrez dans votre pays, peut-être passerez-vous par la Navarre, au moins vous passerez par Vittoria* qui n'en est pas fort éloignée.

—Oui, lui dis-je, je passerai certainement par Vittoria; mais il n'est pas impossible que je me détourne pour aller à Pampelune,* et, à cause de vous, je crois que je ferais volontiers ce détour.

—Eh bien! si vous allez à Pampelune, vous y verrez plus d'une chose qui vous intéressera . . . C'est une belle ville . . . Je vous donnerai cette médaille (il me montrait une petite médaille d'argent qu'il portait au cou), vous l'envelopperez dans du papier . . . il s'arrêta un instant pour maîtriser son émotion . . . et vous la remettrez ou vous la ferez remettre à une bonne femme dont je vous dirai l'adresse.—Vous direz que je suis mort, vous ne direz pas comment.

Je promis d'exécuter sa commission. Je le revis le lendemain, et je passai une partie de la journée avec lui. C'est de sa bouche que j'ai appris les tristes aventures qu'on va lire.

III

Je suis né, dit-il, à Élizondo,* dans la vallée de Baztan. Je m'appelle don José Lizarrabengoa, et vous connaissez assez l'Espagne, monsieur, pour que mon nom vous dise aussitôt que je suis Basque et vieux chrétien. Si je prends le *don*, c'est que j'en ai le droit, et si j'étais à Élizondo, je vous montrerais ma généalogie sur un parchemin. On voulait que je fusse d'Église,* et l'on me fit étudier, mais je ne profitais guère. J'aimais trop à jouer à la paume, c'est ce qui m'a perdu. Quand nous jouons à la paume, nous autres Navarrais, nous oublions tout. Un jour que j'avais gagné, un gars de l'Alava* me chercha querelle; nous prîmes nos *maquilas*,[1] et j'eus encore l'avantage; mais cela m'obligea de quitter le pays. Je rencontrai des dragons, et je m'engageai dans le régiment d'Almanza,* cavalerie. Les gens de nos montagnes apprennent vite le métier militaire. Je devins bientôt brigadier, et on me promettait de me faire maréchal des logis, quand, pour mon malheur, on me mit de garde à la manufacture de tabacs à Séville. Si vous êtes allé à Séville, vous aurez vu ce grand bâtiment-là, hors des remparts, près du Guadalquivir. Il me semble en voir encore la porte et le corps de garde auprès. Quand ils sont de service, les Espagnols jouent aux cartes, ou dorment; moi, comme un franc Navarrais, je tâchais toujours de m'occuper. Je faisais une chaîne avec du fil de laiton, pour tenir mon épinglette.* Tout d'un coup les camarades disent: Voilà la cloche qui sonne; les filles vont rentrer à l'ouvrage. Vous saurez, monsieur, qu'il y a bien quatre à cinq cents femmes occupées dans la manufacture. Ce sont elles qui roulent les cigares dans une grande salle où les hommes n'entrent pas sans une permission du *Vingt-quatre*,[2] parce qu'elles se mettent à leur aise, les jeunes surtout, quand il fait chaud. A

---

[1] Bâtons ferrés des Basques.
[2] Magistrat chargé de la police et de l'administration municipale.

l'heure où les ouvrières rentrent, après leur dîner, bien des jeunes gens vont les voir passer, et leur en content de toutes les couleurs. Il y a peu de ces demoiselles qui refusent une mantille de taffetas, et les amateurs,* à cette pêche-là, n'ont qu'à se baisser pour prendre le poisson. Pendant que les autres regardaient, moi, je restais sur mon banc, près de la porte. J'étais jeune alors; je pensais toujours au pays, et je ne croyais pas qu'il y eût de jolies filles sans jupes bleues et sans nattes tombant sur les épaules.[1] D'ailleurs, les Andalouses me faisaient peur; je n'étais pas encore fait à leurs manières: toujours à railler, jamais un mot de raison. J'étais donc le nez sur ma chaîne, quand j'entends des bourgeois qui disaient: Voilà la gitanilla! Je levai les yeux, et je la vis. C'était un vendredi,* et je ne l'oublierai jamais. Je vis cette Carmen que vous connaissez, chez qui je vous ai rencontré il y a quelques mois.

Elle avait un jupon rouge fort court qui laissait voir des bas de soie blancs avec plus d'un trou, et des souliers mignons de maroquin rouge attachés avec des rubans couleur de feu. Elle écartait sa mantille afin de montrer ses épaules et un gros bouquet de cassie* qui sortait de sa chemise. Elle avait encore une fleur de cassie dans le coin de la bouche, et elle s'avançait en se balançant sur ses hanches comme une pouliche du haras de Cordoue. Dans mon pays, une femme en ce costume aurait obligé le monde à se signer. A Séville, chacun lui adressait quelque compliment gaillard sur sa tournure; elle répondait à chacun, faisant les yeux en coulisse,* le poing sur la hanche, effrontée comme une vraie bohémienne qu'elle était. D'abord elle ne me plut pas, et je repris mon ouvrage; mais elle, suivant l'usage des femmes et des chats qui ne viennent pas quand on les appelle et qui viennent quand on ne les appelle pas, s'arrêta devant moi et m'adressa la parole:

—Compère,* me dit-elle à la façon andalouse, veux-tu me donner ta chaîne pour tenir les clefs de mon coffre-fort?

—C'est pour attacher mon épinglette, lui répondis-je.

—Ton épinglette! s'écria-t-elle en riant. Ah! monsieur fait de la dentelle, puisqu'il a besoin d'épingles!

Tout le monde qui était là se mit à rire, et moi je me sentais rougir, et je ne pouvais trouver rien à lui répondre.

—Allons, mon cœur, reprit-elle, fais-moi sept aunes de dentelle noire pour une mantille, épinglier de mon âme!*

---

[1] Costume ordinaire des paysannes de la Navarre et des provinces basques.

Et prenant la fleur de cassie qu'elle avait à la bouche, elle me la lança, d'un mouvement du pouce, juste entre les deux yeux. Monsieur, cela me fit l'effet d'une balle qui m'arrivait . . . Je ne savais où me fourrer, je demeurais immobile comme une planche. Quand elle fut entrée dans la manufacture, je vis la fleur de cassie qui était tombée à terre entre mes pieds; je ne sais ce qui me prit, mais je la ramassai sans que mes camarades s'en aperçussent et je la mis précieusement dans ma veste. Première sottise!

Deux ou trois heures après, j'y pensais encore, quand arrive dans le corps de garde un portier tout haletant, la figure renversée. Il nous dit que dans la grande salle des cigares il y avait une femme assassinée, et qu'il fallait y envoyer la garde. Le maréchal* me dit de prendre deux hommes et d'y aller voir. Je prends mes hommes et je monte. Figurez-vous, monsieur, qu'entré dans la salle je trouve d'abord trois cents femmes en chemise, ou peu s'en faut, toutes criant, hurlant, gesticulant, faisant un vacarme à ne pas entendre Dieu tonner. D'un côté, il y en avait une, les quatre fers en l'air,* couverte de sang, avec un X sur la figure qu'on venait de lui marquer en deux coups de couteau. En face de la blessée, que secouraient les meilleures de la bande, je vois Carmen tenue par cinq ou six commères. La femme blessée criait: Confession! confession! je suis morte! Carmen ne disait rien; elle serrait les dents, et roulait des yeux comme un caméléon. «Qu'est-ce que c'est?» demandai-je. J'eus grand-peine à savoir ce qui s'était passé, car toutes les ouvrières me parlaient à la fois. Il paraît que la femme blessée s'était vantée d'avoir assez d'argent en poche pour acheter un âne au marché de Triana.* «Tiens, dit Carmen, qui avait une langue, tu n'as donc pas assez d'un balai?*» L'autre, blessée du reproche, peut-être parce qu'elle se sentait véreuse* sur l'article, lui répond qu'elle ne se connaissait pas en balais, n'ayant pas l'honneur d'être bohémienne ni filleule de Satan, mais que mademoiselle Carmencita ferait bientôt connaissance avec son âne, quand M. le corrégidor la mènerait à la promenade avec deux laquais par-derrière pour l'émoucher. «Eh bien, moi, dit Carmen, je te ferai des abreuvoirs à mouches sur la joue, et je veux y peindre un damier.»[1] Là-dessus, vli vlan! elle commence,

[1] *Pintar un javeque*, peindre un chebec.* Les chebecs espagnols ont, pour la plupart, leur bande peinte à carreaux rouges et blancs.

128

avec le couteau dont elle coupait le bout des cigares, à lui dessiner des croix de Saint-André* sur la figure.

La cas était clair: je pris Carmen par le bras:

—Ma sœur, lui dis-je poliment, il faut me suivre. Elle me lança un regard comme si elle me reconnaissait; mais elle dit d'un air résigné:—Marchons. Où est ma mantille? Elle la mit sur sa tête de façon à ne montrer qu'un seul de ses grands yeux, et suivit mes deux hommes, douce comme un mouton. Arrivés au corps de garde, le maréchal des logis dit que c'était grave, et qu'il fallait la mener à la prison. C'était encore moi qui devais la conduire. Je la mis entre deux dragons, et je marchais derrière comme un brigadier doit faire en semblable rencontre. Nous nous mîmes en route pour la ville. D'abord la bohémienne avait gardé le silence; mais dans la rue du Serpent,*—vous la connaissez, elle mérite bien son nom par les détours qu'elle fait,—dans la rue du Serpent, elle commence par laisser tomber sa mantille sur ses épaules, afin de me montrer son minois enjôleur, et, se tournant vers moi autant qu'elle pouvait, elle me dit:

—Mon officier,* où me menez-vous?

—A la prison, ma pauvre enfant, lui répondis-je le plus doucement que je pus, comme un bon soldat doit parler à un prisonnier, surtout à une femme.

—Hélas! que deviendrai-je? Seigneur officier, ayez pitié de moi. Vous êtes si jeune, si gentil . . . Puis, d'un ton plus bas: Laissez-moi m'échapper, dit-elle, je vous donnerai un morceau de la *bar lachi*,* qui vous fera aimer de toutes les femmes.

La *bar lachi*, monsieur, c'est la pierre d'aimant, avec laquelle les bohémiens prétendent qu'on fait quantité de sortilèges quand on sait s'en servir. Faites-en boire à une femme une pincée râpée dans un verre de vin blanc, elle ne résiste plus. Moi, je lui répondis le plus sérieusement que je pus:

—Nous ne sommes pas ici pour dire des balivernes; il faut aller à la prison, c'est la consigne, et il n'y a pas de remède.

Nous autres gens du pays basque, nous avons un accent qui nous fait reconnaître facilement des Espagnols; en revanche il n'y en a pas un qui puisse seulement apprendre à dire *baï, jaona*.[1] Carmen donc n'eut pas de peine à deviner que je venais des provinces.* Vous saurez que les bohémiens, monsieur, comme n'étant d'au-

[1] Oui, monsieur.

cun pays, voyageant toujours, parlent toutes les langues, et la plupart sont chez eux en Portugal, en France, dans les provinces, en Catalogne, partout; même avec les Maures et les Anglais, ils se font entendre. Carmen savait assez bien le basque.

—*Laguna, ene bihotsarena*, camarade de mon cœur,* me dit-elle tout à coup, êtes-vous du pays?*

Notre langue, monsieur, est si belle, que, lorsque nous l'entendons en pays étranger, cela nous fait tressaillir . . .

—Je voudrais avoir un confesseur des provinces, ajouta plus bas le bandit.

Il reprit après un silence:

—Je suis d'Élizondo, lui répondis-je en basque, fort ému de l'entendre parler ma langue.

—Moi, je suis d'Etchalar, dit-elle. (C'est un pays* à quatre heures de chez nous.) J'ai été emmenée par des bohémiens à Séville. Je travaillais à la manufacture pour gagner de quoi retourner en Navarre, près de ma pauvre mère qui n'a que moi pour soutien et un petit *barratcea*[1] avec vingt pommiers à cidre. Ah! si j'étais au pays, devant la montagne blanche!* On m'a insultée parce que je ne suis pas de ce pays de filous, marchands d'oranges pourries; et ces gueuses se sont mises toutes contre moi, parce que je leur ai dit que tous leurs *jacques*[2] de Séville, avec leurs couteaux, ne feraient pas peur à un gars de chez nous avec son béret bleu et son *maquila*. Camarade, mon ami, ne ferez-vous rien pour une payse?

Elle mentait, monsieur, elle a toujours menti. Je ne sais pas si dans sa vie cette fille-là a jamais dit un mot de vérité; mais quand elle parlait, je la croyais: c'était plus fort que moi. Elle estropiait le basque, et je la crus Navarraise; ses yeux seuls et sa bouche et son teint la disaient bohémienne. J'étais fou, je ne faisais plus attention à rien. Je pensais que, si des Espagnols s'étaient avisés de mal parler du pays, je leur aurais coupé la figure, tout comme elle venait de faire à sa camarade. Bref, j'étais comme un homme ivre; je commençais à dire des bêtises, j'étais tout près d'en faire.

—Si je vous poussais, et si vous tombiez, mon pays, reprit-elle en basque, ce ne seraient pas ces deux conscrits de Castillans qui me retiendraient . . .

[1] Enclos, jardin.
[2] Braves, fanfarons.

Ma foi, j'oubliai la consigne et tout, et je lui dis:

—Eh bien, m'amie,* ma payse, essayez, et que Notre-Dame de la Montagne vous soit en aide!

En ce moment, nous passions devant une de ces ruelles étroites comme il y en a tant à Séville. Tout à coup Carmen se retourne et me lance un coup de poing dans la poitrine. Je me laissai tomber exprès à la renverse. D'un bond, elle saute par-dessus moi et se met à courir en nous montrant une paire de jambes! . . .

On dit jambes de Basque: les siennes en valaient bien d'autres . . . aussi vites que bien tournées. Moi, je me relève aussitôt; mais je mets ma lance[1] en travers, de façon à barrer la rue, si bien que, de prime abord, les camarades furent arrêtés au moment de la poursuite. Puis je me mis moi-même à courir, et eux après moi; mais l'atteindre! Il n'y avait pas de risque, avec nos éperons, nos sabres et nos lances! En moins de temps que je n'en mets à vous le dire, la prisonnière avait disparu. D'ailleurs, toutes les commères du quartier favorisaient sa fuite, et se moquaient de nous, et nous indiquaient la fausse voie. Après plusieurs marches et contre-marches, il fallut nous en revenir au corps de garde sans un reçu du gouverneur de la prison.

Mes hommes, pour n'être pas punis, dirent que Carmen m'avait parlé basque; et il ne paraissait pas trop naturel, pour dire la vérité, qu'un coup de poing d'une tant petite fille* eût terrassé si facilement un gaillard de ma force. Tout cela parut louche ou plutôt clair. En descendant la garde, je fus dégradé et envoyé pour un mois à la prison. C'était ma première punition depuis que j'étais au service. Adieu les galons de maréchal des logis que je croyais déjà tenir!

Mes premiers jours de prison se passèrent fort tristement. En me faisant soldat, je m'étais figuré que je deviendrais tout au moins officier. Longa, Mina, mes compatriotes, sont bien capitaines généraux; Chapalangarra, qui est un négro* comme Mina, et réfugié comme lui dans votre pays, Chapalangarra était colonel, et j'ai joué à la paume vingt fois avec son frère, qui était un pauvre diable comme moi. Maintenant je me disais: Tout le temps que tu as servi sans punition, c'est du temps perdu. Te voilà mal noté: pour te remettre bien dans l'esprit des chefs, il te faudra travailler dix fois plus que lorsque tu es venu comme conscrit! Et

---

[1] Toute la cavalerie espagnole est armée de lances.

pourquoi me suis-je fait punir? Pour une coquine de bohémienne qui s'est moquée de moi, et qui, dans ce moment, est à voler dans quelque coin de la ville. Pourtant je ne pouvais m'empêcher de penser à elle. Le croiriez-vous, monsieur? ses bas de soie troués qu'elle me faisait voir tout en plein en s'enfuyant, je les avais toujours devant les yeux. Je regardais par les barreaux de la prison dans la rue, et, parmi toutes les femmes qui passaient, je n'en voyais pas une seule qui valût cette diable de fille-là. Et puis, malgré moi, je sentais la fleur de cassie qu'elle m'avait jetée, et qui, sèche, gardait toujours sa bonne odeur . . . S'il y a des sorcières, cette fille-là en était une!

Un jour, le geôlier entre, et me donne un pain d'Alcalà.[1]

—Tenez, dit-il, voilà ce que votre cousine vous envoie.

Je pris le pain, fort étonné, car je n'avais pas de cousine à Séville. C'est peut-être une erreur, pensai-je en regardant le pain; mais il était si appétissant, il sentait si bon, que sans m'inquiéter de savoir d'où il venait et à qui il était destiné, je résolus de le manger. En voulant le couper mon couteau* rencontra quelque chose de dur. Je regarde, et je trouve une petite lime anglaise qu'on avait glissée dans la pâte avant que le pain fût cuit. Il y avait encore dans le pain une pièce d'or de deux piastres.* Plus de doute alors, c'était un cadeau de Carmen. Pour les gens de sa race, la liberté est tout, et ils mettraient le feu à une ville pour s'épargner un jour de prison. D'ailleurs la commère* était fine, et avec ce pain-là on se moquait des geôliers. En une heure, le plus gros barreau était scié avec la petite lime; et avec la pièce de deux piastres, chez le premier fripier, je changeais ma capote d'uniforme pour un habit bourgeois. Vous pensez bien qu'un homme qui avait déniché maintes fois des aiglons dans nos rochers ne s'embarrassait guère de descendre dans la rue, d'une fenêtre haute de moins de trente pieds; mais je ne voulais pas m'échapper. J'avais encore mon honneur de soldat, et déserter me semblait un grand crime. Seulement je fus touché de cette marque de souvenir. Quand on est en prison, on aime à penser qu'on a dehors un ami qui s'intéresse à vous. La pièce d'or m'offusquait un peu, j'aurais bien voulu la rendre; mais où trouver mon créancier? Cela ne me semblait pas facile.

[1] Alcalà de los Panaderos, bourg à deux lieues de Séville où l'on fait des petits pains délicieux. On prétend que c'est à l'eau d'Alcalà qu'ils doivent leur qualité et l'on en apporte tous les jours une grande quantité à Séville.

Après la cérémonie de la dégradation, je croyais n'avoir plus rien à souffrir, mais il me restait encore une humiliation à dévorer: ce fut à ma sortie de prison, lorsqu'on me commanda de service* et qu'on me mit en faction comme un simple soldat. Vous ne pouvez vous figurer ce qu'un homme de cœur éprouve en pareille occasion. Je crois que j'aurais aimé autant à être fusillé. Au moins on marche seul, en avant de son peloton; on se sent quelque chose; le monde vous regarde.

Je fus mis en faction à la porte du colonel. C'était un jeune homme riche, bon enfant, qui aimait à s'amuser. Tous les jeunes officiers étaient chez lui, et force bourgeois, des femmes aussi, des actrices, à ce qu'on disait. Pour moi, il me semblait que toute la ville s'était donné rendez-vous à sa porte pour me regarder. Voilà qu'arrive la voiture du colonel avec son valet de chambre sur le siège. Qu'est-ce que je vois descendre? . . . la gitanilla. Elle était parée, cette fois, comme une châsse, pomponnée, atifée, tout or et tout rubans. Une robe à paillettes, des souliers bleus à paillettes aussi, des fleurs et des galons partout. Elle avait un tambour de basque à la main. Avec elle il y avait deux autres bohémiennes, une jeune et une vieille. Il y a toujours une vieille pour les mener; puis un vieux avec une guitare, bohémien aussi, pour jouer et les faire danser. Vous savez qu'on s'amuse souvent à faire venir des bohémiennes dans les sociétés, afin de leur faire danser la *romalis*, c'est leur danse, et souvent bien autre chose.

Carmen me reconnut, et nous échangeâmes un regard. Je ne sais, mais, en ce moment, j'aurais voulu être à cent pieds sous terre.

—*Agur laguna*,[1] dit-elle. Mon officier, tu montes la garde comme un conscrit!

Et, avant que j'eusse trouvé un mot à répondre, elle était dans la maison.

Toute la société était dans le patio,* et, malgré la foule, je voyais à peu près tout ce qui se passait, à travers la grille.[2] J'entendais les castagnettes, le tambour, les rires et les bravos; parfois

---

[1] Bonjour, camarade.
[2] La plupart des maisons de Séville ont une cour intérieure entourée de portiques. On s'y tient en été. Cette cour est couverte d'une toile qu'on arrose pendant le jour et qu'on retire le soir. La porte de la rue est presque toujours ouverte, et le passage qui conduit à la cour, *zaguan*, est fermé par une grille en fer très élégamment ouvragée.

j'apercevais sa tête quand elle sautait avec son tambour. Puis j'entendais encore des officiers qui lui disaient bien des choses qui me faisaient monter le rouge à la figure. Ce qu'elle répondait, je n'en savais rien. C'est de ce jour-là, je pense, que je me mis à l'aimer pour tout de bon; car l'idée me vint trois ou quatre fois d'entrer dans le patio, et de donner de mon sabre dans le ventre à tous ces freluquets qui lui contaient fleurettes. Mon supplice dura une bonne heure; puis les bohémiens sortirent, et la voiture les ramena. Carmen, en passant, me regarda encore avec les yeux que vous savez, et me dit très bas:

—Pays, quand on aime la bonne friture, on en va manger à Triana, chez Lillas Pastia.

Légère comme un cabri, elle s'élança dans la voiture, le cocher fouetta ses mules, et toute la bande joyeuse s'en alla je ne sais où.

Vous devinez bien qu'en descendant ma garde j'allai à Triana; mais d'abord je me fis raser et je me brossai comme pour un jour de parade. Elle était chez Lillas Pastia, un vieux marchand de friture, bohémien, noir comme un Maure, chez qui beaucoup de bourgeois venaient manger du poisson frit, surtout, je crois, depuis que Carmen y avait pris ses quartiers.

—Lillas, dit-elle sitôt qu'elle me vit, je ne fais plus rien de la journée. Demain il fera jour![1]* Allons, pays, allons nous promener.

Elle mit sa mantille devant son nez, et nous voilà dans la rue, sans savoir où j'allais.

—Mademoiselle, lui dis-je, je crois que j'ai à vous remercier d'un présent que vous m'avez envoyé quand j'étais en prison. J'ai mangé le pain; la lime me servira pour affiler ma lance, et je la garde comme souvenir de vous; mais l'argent, le voilà.

—Tiens! Il a gardé l'argent, s'écria-t-elle en éclatant de rire. Au reste tant mieux, car je ne suis guère en fonds; mais qu'importe? chien qui chemine ne meurt pas de famine.[2] Allons, mangeons* tout. Tu me régales.

Nous avions repris le chemin de Séville. A l'entrée de la rue du Serpent, elle acheta une douzaine d'oranges, qu'elle me fit mettre dans mon mouchoir. Un peu plus loin, elle acheta encore un pain,

[1] *Mañana será otro dia.*—Proverbe espagnol.
[2] *Chuquel sos pirela,*
   Cocal terela.
   Chien qui marche, os trouve.
   —Proverbe bohémien.

du saucisson, une bouteille de manzanilla; puis enfin elle entra chez un confiseur. Là, elle jeta sur le comptoir la pièce d'or que je lui avais rendue, une autre encore qu'elle avait dans sa poche, avec quelque argent blanc; enfin elle me demanda tout ce que j'avais. Je n'avais qu'une piécette et quelques cuartos, que je lui donnai, fort honteux de n'avoir pas davantage. Je crus qu'elle voulait emporter toute la boutique. Elle prit tout ce qu'il y avait de plus beau et de plus cher, *yemas*,[1] *turon*,[2]* fruits confits, tant que l'argent dura. Tout cela, il fallait encore que je le portasse dans des sacs de papier. Vous connaissez peut-être la rue du Candilejo, où il y a une tête du roi don Pedro* le Justicier.[3] Elle aurait dû m'inspirer des réflexions. Nous nous arrêtâmes dans cette rue-là, devant une vieille maison. Elle entra dans l'allée, et frappa au rez-de-chaussée. Une bohémienne, vraie servante de Satan, vint nous ouvrir. Carmen lui dit quelques mots en rommani. La vieille grogna d'abord. Pour l'apaiser, Carmen lui donna deux oranges et une poignée de bonbons et lui permit de goûter au vin. Puis elle lui mit sa mante

---

[1] Jaunes d'œufs sucrés.

[2] Espèce de nougat.

[3] Le roi don Pèdre, que nous nommons *le Cruel*, et que la reine Isabelle la Catholique n'appelait jamais que *le Justicier*, aimait à se promener le soir dans les rues de Séville, cherchant les aventures, comme le calife Haroûn-al-Raschid.* Certaine nuit, il se prit de querelle, dans une rue écartée, avec un homme qui donnait une sérénade. On se battit, et le roi tua le cavalier amoureux. Au bruit des épées, une vieille femme mit la tête à la fenêtre, et éclaira la scène avec la petite lampe, *candilejo*, qu'elle tenait à la main. Il faut savoir que le roi don Pèdre, d'ailleurs leste et vigoureux, avait un défaut de conformation singulier. Quand il marchait, ses rotules craquaient fortement. La vieille, à ce craquement, n'eut pas de peine à le reconnaître. Le lendemain, le Vingt-quatre en charge vint faire son rapport au roi. «Sire, on s'est battu en duel, cette nuit, dans telle rue. Un des combattants est mort.—Avez-vous découvert le meurtrier?—Oui, sire.—Pourquoi n'est-il pas déjà puni?—Sire, j'attends vos ordres.—Exécutez la loi.» Or le roi venait de publier un décret portant que tout duelliste serait décapité, et que sa tête demeurerait exposée sur le lieu du combat. Le Vingt-quatre se tira d'affaire en homme d'esprit. Il fit scier la tête d'une statue du roi, et l'exposa dans une niche au milieu de la rue, théâtre du meurtre. Le roi et tous les Sévillans le trouvèrent fort bon. La rue prit son nom de la lampe de la vieille, seul témoin de l'aventure.— Voilà la tradition populaire. Zuniga raconte l'histoire un peu différemment. (Voir *Anales de Sevilla*, t. II, p. 136.) Quoi qu'il en soit, il existe encore à Séville une rue du Candilejo, et dans cette rue un buste de pierre qu'on dit être le portrait de don Pèdre. Malheureusement, ce buste est moderne. L'ancien était fort usé au XVIIᵉ siècle, et la municipalité d'alors le fit remplacer par celui qu'on voit aujourd'hui.

sur le dos et la conduisit à la porte, qu'elle ferma avec la barre de bois. Dès que nous fûmes seuls, elle se mit à danser et à rire comme une folle, en chantant:

—Tu es mon *rom*, je suis ta *romi*.[1]

Moi, j'étais au milieu de la chambre, chargé de toutes ses emplettes, ne sachant où les poser. Elle jeta tout par terre, et me sauta au cou en me disant:

—Je paie mes dettes, je paie mes dettes! c'est la loi des Calés![2]

Ah! monsieur, cette journée-là! cette journée-là! . . . quand j'y pense, j'oublie celle de demain.

Le bandit se tut un instant; puis, après avoir rallumé son cigare, il reprit:

Nous passâmes ensemble toute la journée, mangeant, buvant, et le reste. Quand elle eut mangé des bonbons comme un enfant de six ans, elle en fourra des poignées dans la jarre d'eau de la vieille. «C'est pour lui faire du sorbet», disait-elle. Elle écrasait des yemas en les lançant contre la muraille. «C'est pour que les mouches nous laissent tranquilles», disait-elle . . . Il n'y a pas de tour ni de bêtise qu'elle ne fît. Je lui dis que je voudrais la voir danser; mais où trouver des castagnettes? Aussitôt elle prend la seule assiette de la vieille, la casse en morceaux, et la voilà qui danse la romalis en faisant claquer les morceaux de faïence aussi bien que si elle avait eu des castagnettes d'ébène ou d'ivoire. On ne s'ennuyait pas auprès de cette fille-là, je vous en réponds. Le soir vint, et j'entendis les tambours qui battaient la retraite.

—Il faut que j'aille au quartier pour l'appel, lui dis-je.

—Au quartier? dit-elle d'un air de mépris; tu es donc un nègre, pour te laisser mener à la baguette? Tu es un vrai canari, d'habit et de caractère.[3] Va, tu as un cœur de poulet.

Je restai, résigné d'avance à la salle de police. Le matin, ce fut elle qui parla la première de nous séparer.

—Écoute, Joseito, dit-elle; t'ai-je payé? D'après notre loi, je ne te devais rien, puisque tu es un *payllo*; mais tu es un joli garçon, et tu m'as plu. Nous sommes quittes. Bonjour.

Je lui demandai quand je la reverrais.

—Quand tu seras moins niais, répondit-elle en riant. Puis, d'un

---

[1] *Rom*, mari; *romi*, femme.

[2] *Calo*; féminin, *calli*; pluriel, *calés*. Mot à mot *noir*—nom que les bohémiens se donnent dans leur langue.

[3] Les dragons espagnols sont habillés de jaune.

ton plus sérieux: Sais-tu, mon fils, que je crois que je t'aime un peu? Mais cela ne peut durer. Chien et loup ne font pas longtemps bon ménage. Peut-être que, si tu prenais la loi d'Égypte,* j'aimerais à devenir ta romi. Mais ce sont des bêtises: cela ne se peut pas. Bah! mon garçon, crois-moi, tu en es quitte à bon compte. Tu as rencontré le diable, oui, le diable; il n'est pas toujours noir, et il ne t'a pas tordu le cou. Je suis habillée de laine, mais je ne suis pas mouton.[1] Va mettre un cierge devant ta *majari*;[2] elle l'a bien gagné. Allons, adieu encore une fois. Ne pense plus à Carmencita, ou elle te ferait épouser une veuve à jambe de bois.[3]

En parlant ainsi, elle défaisait la barre qui fermait la porte, et une fois dans la rue elle s'enveloppa dans sa mantille et me tourna les talons.

Elle disait vrai. J'aurais été sage de ne plus penser à elle; mais, depuis cette journée dans la rue du Candilejo, je ne pouvais plus songer à autre chose. Je me promenais tout le jour, espérant la rencontrer. J'en demandais des nouvelles à la vieille et au marchand de friture. L'un et l'autre répondaient qu'elle était partie pour Laloro,[4] c'est ainsi qu'ils appellent le Portugal. Probablement c'était d'après les instructions de Carmen qu'ils parlaient de la sorte, mais je ne tardai pas à savoir qu'ils mentaient. Quelques semaines après ma journée de la rue du Candilejo, je fus de faction à une des portes de la ville. A peu de distance de cette porte, il y avait une brèche qui s'était faite dans le mur d'enceinte; on y travaillait pendant le jour, et la nuit on y mettait un factionnaire pour empêcher les fraudeurs. Pendant le jour, je vis Lillas Pastia passer et repasser autour du corps de garde, et causer avec quelques-uns de mes camarades; tous le connaissaient, et ses poissons et ses beignets encore mieux. Il s'approcha de moi et me demanda si j'avais des nouvelles de Carmen.

—Non, lui dis-je.

—Eh bien, vous en aurez, compère.

Il ne se trompait pas. La nuit, je fus mis de faction à la brèche. Dès que le brigadier se fut retiré, je vis venir à moi une femme. Le cœur me disait que c'était Carmen. Cependant je criai:

—Au large! On ne passe pas!

[1] *Me dicas vriardâ de jorpoy, bus ne sino braco.*—Proverbe bohémien.
[2] La sainte.—La Sainte Vierge.
[3] La potence qui est veuve du dernier pendu.
[4] La (terre) rouge.

—Ne faites donc pas le méchant, me dit-elle en se faisant connaître à moi.

—Quoi! vous voilà, Carmen!

—Oui, mon pays. Parlons peu, parlons bien. Veux-tu gagner un douro?* Il va venir des gens avec des paquets; laisse-les faire.

—Non, répondis-je. Je dois les empêcher de passer; c'est la consigne.

—La consigne! la consigne! Tu n'y pensais pas rue du Candilejo.

—Ah! répondis-je, tout bouleversé par ce seul souvenir, cela valait bien la peine d'oublier la consigne; mais je ne veux pas de l'argent des contrebandiers.

—Voyons, si tu ne veux pas d'argent, veux-tu que nous allions encore dîner chez la vieille Dorothée?

—Non! dis-je à moitié étranglé par l'effort que je faisais. Je ne puis pas.

—Fort bien. Si tu es si difficile, je sais à qui m'adresser. J'offrirai à ton officier d'aller chez Dorothée. Il a l'air d'un bon enfant, et il fera mettre en sentinelle un gaillard qui ne verra que ce qu'il faudra voir. Adieu, canari. Je rirai bien le jour où la consigne sera de te pendre.

J'eus la faiblesse de la rappeler, et je promis de laisser passer toute la bohême, s'il le fallait, pourvu que j'obtinsse la seule récompense que je désirais. Elle me jura aussitôt de me tenir parole dès le lendemain, et courut prévenir ses amis qui étaient à deux pas. Il y en avait cinq, dont était Pastia, tous bien chargés de marchandises anglaises. Carmen faisait le guet. Elle devait avertir avec ses castagnettes dès qu'elle apercevrait la ronde, mais elle n'en eut pas besoin. Les fraudeurs firent leur affaire en un instant.

Le lendemain, j'allai rue du Candilejo. Carmen se fit attendre, et vint d'assez mauvaise humeur.

—Je n'aime pas les gens qui se font prier, dit-elle. Tu m'as rendu un plus grand service la première fois, sans savoir si tu y gagnerais quelque chose. Hier, tu as marchandé avec moi. Je ne sais pas pourquoi je suis venue, car je ne t'aime plus. Tiens, va-t'en, voilà un douro pour ta peine.

Peu s'en fallut que je ne lui jetasse la pièce à la tête, et je fus obligé de faire un effort violent sur moi-même pour ne pas la battre. Après nous être disputés pendant une heure, je sortis furieux. J'errai quelque temps par la ville, marchant deçà et delà comme un fou; enfin j'entrai dans une église, et m'étant mis dans le coin le plus obscur, je pleurai à chaudes larmes. Tout d'un coup j'entends une voix:

—Larmes de dragon!* j'en veux faire un philtre.

Je lève les yeux, c'était Carmen en face de moi.

—Eh bien, mon pays, m'en voulez-vous encore? me dit-elle. Il faut bien que je vous aime, malgré que j'en aie,* car, depuis que vous m'avez quittée, je ne sais ce que j'ai. Voyons, maintenant, c'est moi qui te demande si tu veux venir rue du Candilejo.

Nous fîmes donc la paix; mais Carmen avait l'humeur comme est le temps chez nous. Jamais l'orage n'est si près dans nos montagnes que lorsque le soleil est le plus brillant. Elle m'avait promis de me revoir une autre fois chez Dorothée, et elle ne vint pas. Et Dorothée me dit de plus belle qu'elle était allée à Laloro pour les affaires d'Égypte.*

Sachant déjà par expérience à quoi m'en tenir là-dessus, je cherchais Carmen partout où je croyais qu'elle pouvait être, et je passais vingt fois par jour dans la rue du Candilejo. Un soir, j'étais chez Dorothée, que j'avais presque apprivoisée en lui payant de temps à autre quelque verre d'anisette, lorsque Carmen entra suivie d'un jeune homme, lieutenant dans notre régiment.

—Va-t'en vite, me dit-elle en basque.

Je restai stupéfait, la rage dans le cœur.

—Qu'est-ce que tu fais ici? me dit le lieutenant. Décampe, hors d'ici!

Je ne pouvais faire un pas; j'étais comme perclus. L'officier, en colère, voyant que je ne me retirais pas, et que je n'avais pas même ôté mon bonnet de police, me prit au collet et me secoua rudement. Je ne sais ce que je lui dis. Il tira son épée, et je dégainai. La vieille me saisit le bras, le lieutenant me donna un coup au front, dont je porte encore la marque. Je reculai, et d'un coup de coude je jetai Dorothée à la renverse; puis, comme le lieutenant me poursuivait, je mis la pointe au corps, et il s'enferra. Carmen alors éteignit la lampe, et dit dans sa langue à Dorothée de s'enfuir. Moi-même je me sauvai dans la rue, et me mis à courir sans savoir où. Il me semblait que quelqu'un me suivait. Quand je revins à moi, je trouvai que Carmen ne m'avait pas quitté.

—Grand niais de canari! me dit-elle, tu ne sais faire que des bêtises. Aussi bien, je te l'ai dit que je te porterais malheur. Allons, il y a remède à tout, quand on a pour bonne amie une Flamande de Rome.[1] Commence à mettre ce mouchoir sur ta tête, et jette-moi ce ceinturon. Attends-moi dans cette allée. Je reviens dans deux minutes.

Elle disparut, et me rapporta bientôt une mante rayée qu'elle était allée chercher je ne sais où. Elle me fit quitter mon uniforme, et mettre la mante par-dessus ma chemise. Ainsi accoutré, avec le mouchoir dont elle avait bandé la plaie que j'avais à la tête, je ressemblais assez à un paysan valencien, comme il y en a à Séville, qui viennent vendre leur orgeat de *chufas*.[2] Puis elle me mena dans une maison assez semblable à celle de Dorothée, au fond d'une petite ruelle. Elle et une autre bohémienne me lavèrent, me pansèrent mieux que n'eût pu le faire un chirurgien-major, me firent boire je ne sais quoi; enfin, on me mit sur un matelas, et je m'endormis.

Probablement ces femmes avaient mêlé dans ma boisson quelques-unes de ces drogues assoupissantes dont elles ont le secret, car je ne m'éveillai que fort tard le lendemain. J'avais un grand mal de tête et un peu de fièvre. Il fallut quelque temps pour que le souvenir me revînt de la terrible scène où j'avais pris part la veille. Après avoir pansé ma plaie, Carmen et son amie, accroupies toutes les deux sur les talons auprès de mon matelas, échangèrent quelques mots en *chipe calli*, qui paraissaient être une consultation médicale. Puis toutes deux m'assurèrent que je serais guéri avant peu, mais qu'il fallait quitter Séville le plus tôt possible : car, si l'on m'y attrapait, j'y serais fusillé sans rémission.

—Mon garçon, me dit Carmen, il faut que tu fasses quelque chose; maintenant que le roi ne te donne plus ni riz ni merluche,[3] il faut que tu songes à gagner ta vie. Tu es trop bête pour voler à *pastesas*,[4] mais tu es leste et fort: si tu as du cœur, va-t'en à la côte, et fais-toi contrebandier. Ne t'ai-je pas promis de te faire pendre? Cela vaut mieux que d'être fusillé. D'ailleurs, si tu sais

---

[1] *Flamenca de Roma.* Terme d'argot qui désigne les bohémiennes. *Roma* ne veut pas dire ici la Ville Éternelle, mais la nation des Romi ou des *gens mariés*, nom que se donnent les bohémiens. Les premiers qu'on vit en Espagne venaient probablement des Pays-Bas, d'où est venu leur nom de *Flamands*.
[2] Racine bulbeuse dont on fait une boisson assez agréable.
[3] Nourriture ordinaire du soldat espagnol.
[4] *Ustilar à pastesas*, voler avec adresse, dérober sans violence.

t'y prendre, tu vivras comme un prince, aussi longtemps que les miñons[1] et les gardes-côtes ne te mettront pas la main sur le collet.

Ce fut de cette façon engageante que cette diable de fille me montra la nouvelle carrière qu'elle me destinait, la seule, à vrai dire, qui me restât, maintenant que j'avais encouru la peine de mort. Vous le dirai-je, monsieur? elle me détermina sans beaucoup de peine. Il me semblait que je m'unissais à elle plus intimement par cette vie de hasards et de rébellion. Désormais je crus m'assurer son amour. J'avais entendu souvent parler de quelques contrebandiers qui parcouraient l'Andalousie, montés sur un bon cheval, l'espingole au poing, leur maîtresse en croupe. Je me voyais déjà trottant par monts et par vaux avec la gentille bohémienne derrière moi. Quand je lui parlais de cela, elle riait à se tenir les côtés, et me disait qu'il n'y a rien de si beau qu'une nuit passée au bivouac, lorsque chaque rom se retire avec sa romi sous sa petite tente formée de trois cerceaux, avec une couverture par-dessus.

—Si je te tiens jamais dans la montagne, lui disais-je, je serai sûr de toi. Là, il n'y a pas de lieutenant pour partager avec moi.

—Ah! tu es jaloux, répondait-elle. Tant pis pour toi. Comment es-tu assez bête pour cela? Ne vois-tu pas que je t'aime, puisque je ne t'ai jamais demandé d'argent?

Lorsqu'elle parlait ainsi, j'avais envie de l'étrangler.

Pour le faire court,* monsieur, Carmen me procura un habit bourgeois, avec lequel je sortis de Séville sans être reconnu. J'allai à Jerez* avec une lettre de Pastia pour un marchand d'anisette chez qui se réunissaient des contrebandiers. On me présenta à ces gens-là, dont le chef, surnommé le Dancaïre,* me reçut dans sa troupe. Nous partîmes pour Gaucin,* où je retrouvai Carmen, qui m'y avait donné rendez-vous. Dans les expéditions, elle servait d'espion à nos gens, et de meilleur il n'y en eut jamais. Elle revenait de Gibraltar, et déjà elle avait arrangé avec un patron de navire l'embarquement de marchandises anglaises que nous devions recevoir sur la côte. Nous allâmes les attendre près d'Estepona,* puis nous en cachâmes une partie dans la montagne; chargés du reste, nous nous rendîmes à Ronda.* Carmen nous y avait précédés. Ce fut elle encore qui nous indiqua le moment où nous entrerions en ville. Ce premier voyage et quelques autres après

[1] Espèce de corps franc.

furent heureux. La vie de contrebandier me plaisait mieux que la vie de soldat; je faisais des cadeaux à Carmen. J'avais de l'argent et une maîtresse. Je n'avais guère de remords, car, comme disent les bohémiens: Gale avec plaisir ne démange pas.[1] Partout nous étions bien reçus, mes compagnons me traitaient bien, et même me témoignaient de la considération. La raison, c'était que j'avais tué un homme, et parmi eux il y en avait qui n'avaient pas un pareil exploit sur la conscience. Mais ce qui me touchait davantage dans ma nouvelle vie, c'est que je voyais souvent Carmen. Elle me montrait plus d'amitié que jamais; cependant, devant les camarades, elle ne convenait pas qu'elle était ma maîtresse; et même, elle m'avait fait jurer par toutes sortes de serments de ne rien leur dire sur son compte. J'étais si faible devant cette créature, que j'obéissais à tous ses caprices. D'ailleurs, c'était la première fois qu'elle se montrait à moi avec la réserve d'une honnête femme, et j'étais assez simple pour croire qu'elle s'était véritablement corrigée de ses façons d'autrefois.

Notre troupe, qui se composait de huit ou dix hommes, ne se réunissait guère que dans les moments décisifs, et d'ordinaire nous étions dispersés deux à deux, trois à trois, dans les villes et les villages. Chacun de nous prétendait avoir un métier: celui-ci était chaudronnier, celui-là maquignon; moi, j'étais marchand de merceries,* mais je ne me montrais guère dans les gros endroits, à cause de ma mauvaise affaire de Séville. Un jour, ou plutôt une nuit, notre rendez-vous était au bas de Véger.* Le Dancaïre et moi nous nous y trouvâmes avant les autres. Il paraissait fort gai.

—Nous allons avoir un camarade de plus, me dit-il. Carmen vient de faire un de ses meilleurs tours. Elle vient de faire échapper son rom qui était au presidio* à Tarifa.*

Je commençais déjà à comprendre le bohémien, que parlaient presque tous mes camarades, et ce mot de rom me cause un saisissement.

—Comment! son mari! elle est donc mariée? demandai-je au capitaine.

—Oui, répondit-il, à Garcia le Borgne, un bohémien aussi futé qu'elle. Le pauvre garçon était aux galères. Carmen a si bien emboveliné le chirurgien du presidio, qu'elle en a obtenu la

---

[1] *Sarapia sat pesquital ne punzava.*

liberté de son rom. Ah! cette fille-là vaut son pesant d'or. Il y a deux ans qu'elle cherche à le faire évader. Rien n'a réussi, jusqu'à ce qu'on s'est avisé* de changer le major. Avec celui-ci, il paraît qu'elle a trouvé bien vite le moyen de s'entendre.

Vous vous imaginez le plaisir que me fit cette nouvelle. Je vis bientôt Garcia le Borgne; c'était bien le plus vilain monstre que la Bohême ait nourri: noir de peau et plus noir d'âme, c'était le plus franc scélérat que j'aie rencontré dans ma vie. Carmen vint avec lui; et, lorsqu'elle l'appelait son rom devant moi, il fallait voir les yeux qu'elle me faisait, et ses grimaces quand Garcia tournait la tête. J'étais indigné, et je ne lui parlai pas de la nuit. Le matin nous avions fait nos ballots, et nous étions déjà en route, quand nous nous aperçûmes qu'une douzaine de cavaliers étaient à nos trousses. Les fanfarons Andalous qui ne parlaient que de tout massacrer firent aussitôt piteuse mine. Ce fut un sauve-qui-peut général. Le Dancaïre, Garcia, un joli garçon d'Ecija,* qui s'appelait le Remendado,* et Carmen ne perdirent pas la tête. Le reste avait abandonné les mulets et s'était jeté dans les ravins où les chevaux ne pouvaient les suivre. Nous ne pouvions conserver nos bêtes, et nous nous hâtâmes de défaire le meilleur de notre butin, et de le charger sur nos épaules, puis nous essayâmes de nous sauver au travers des rochers par les pentes les plus raides. Nous jetions nos ballots devant nous, et nous les suivions de notre mieux en glissant sur les talons. Pendant ce temps-là, l'ennemi nous canardait; c'était la première fois que j'entendais siffler les balles, et cela ne me fit pas grand-chose. Quand on est en vue d'une femme, il n'y a pas de mérite à se moquer de la mort. Nous nous échappâmes, excepté le pauvre Remendado, qui reçut un coup de feu dans les reins. Je jetai mon paquet, et j'essayai de le prendre.

—Imbécile! me cria Garcia, qu'avons-nous à faire d'une charogne? achève-le et ne perds pas les bas de coton.

—Jette-le! Jette-le! me criait Carmen.

La fatigue m'obligea de le déposer un moment à l'abri d'un rocher. Garcia s'avança, et lui lâcha son espingole dans la tête.

—Bien habile qui le reconnaîtrait maintenant, dit-il en regardant sa figure que douze balles avaient mise en morceaux.

Voilà, monsieur, la belle vie que j'ai menée. Le soir, nous nous trouvâmes dans un hallier, épuisés de fatigue, n'ayant rien à manger et ruinés par la perte de nos mulets. Que fit cet infernal Garcia? il tira un paquet de cartes de sa poche, et se mit à jouer avec le Dancaïre à la lueur d'un feu qu'ils allumèrent. Pendant ce temps-là, moi, j'étais couché, regardant les étoiles, pensant au Remendado, et me disant que j'aimerais autant être à sa place. Carmen était accroupie près de moi, et de temps en temps, elle faisait un roulement de castagnettes en chantonnant. Puis, s'approchant comme pour me parler à l'oreille, elle m'embrassa, presque malgré moi, deux ou trois fois.

—Tu es le diable, lui disais-je.

—Oui, me répondait-elle.

Après quelques heures de repos, elle s'en fut à Gaucin, et le lendemain matin un petit chevrier vint nous porter du pain. Nous demeurâmes là tout le jour, et la nuit nous nous rapprochâmes de Gaucin. Nous attendions des nouvelles de Carmen. Rien ne venait. Au jour, nous voyons un muletier qui menait une femme bien habillée, avec un parasol, et une petite fille qui paraissait sa domestique. Garcia nous dit:

—Voilà deux mules et deux femmes que saint Nicolas nous envoie; j'aimerais mieux quatre mules; n'importe, j'en fais mon affaire!

Il prit son espingole et descendit vers le sentier en se cachant dans les broussailles. Nous le suivions, le Dancaïre et moi, à peu de distance. Quand nous fûmes à portée, nous nous montrâmes, et nous criâmes au muletier de s'arrêter. La femme, en nous voyant, au lieu de s'effrayer, et notre toilette aurait suffi pour cela, fait un grand éclat de rire.

—Ah! les *lillipendi* qui me prennent pour une *erani!*[1]

C'était Carmen, mais si bien déguisée, que je ne l'aurais pas reconnue parlant une autre langue. Elle sauta en bas de sa mule, et cause quelque temps à voix basse avec le Dancaïre et Garcia, puis elle me dit:

—Canari, nous nous reverrons avant que tu sois pendu. Je vais à Gibraltar pour les affaires d'Égypte. Vous entendrez bientôt parler de moi.

Nous nous séparâmes après qu'elle nous eut indiqué un lieu où nous pourrions trouver un abri pour quelques jours. Cette fille était la providence de notre troupe. Nous reçûmes bientôt quelque argent qu'elle nous envoya, et un avis qui valait mieux pour nous: c'était que tel jour partiraient deux milords anglais,

---

[1] Les imbéciles qui me prennent pour une femme comme il faut.

allant de Gibraltar à Grenade* par tel chemin. A bon entendeur
salut. Ils avaient de belles et bonnes guinées. Garcia voulait les
tuer, mais le Dancaïre et moi nous nous y opposâmes. Nous ne
leur prîmes que l'argent et les montres, outre les chemises, dont
nous avions grand besoin.

Monsieur, on devient coquin sans y penser. Une jolie fille vous
fait perdre la tête, on se bat pour elle, un malheur arrive, il faut
vivre à la montagne, et de contrebandier on devient voleur avant
d'avoir réfléchi. Nous jugeâmes qu'il ne faisait pas bon pour nous
dans les environs de Gibraltar après l'affaire des milords, et nous
nous enfonçâmes dans la sierra de Ronda.—Vous m'avez parlé
de José-Maria; tenez, c'est là que j'ai fait connaissance avec lui. Il
menait sa maîtresse dans ses expéditions. C'était une jolie fille,
sage, modeste, de bonnes manières; jamais un mot malhonnête,
et un dévouement! . . . En revanche, il la rendait bien malheureuse. Il était toujours à courir après toutes les filles, il la mal-
menait, puis quelquefois il s'avisait de faire le jaloux. Une fois, il
lui donna un coup de couteau. Eh bien, elle ne l'en aimait que
davantage. Les femmes sont ainsi faites, les Andalouses surtout.
Celle-là était fière de la cicatrice qu'elle avait au bras, et la montrait comme la plus belle chose du monde. Et puis José-Maria,
par-dessus le marché, était le plus mauvais camarade! . . . Dans
une expédition que nous fîmes, il s'arrangea si bien que tout le
profit lui en demeura, à nous les coups et l'embarras de l'affaire.
Mais je reprends mon histoire. Nous n'entendions plus parler de
Carmen. Le Dancaïre dit:

—Il faut qu'un de nous aille à Gibraltar pour en avoir des
nouvelles; elle doit avoir préparé quelque affaire. J'irais bien, mais
je suis trop connu à Gibraltar.

Le borgne dit:

—Moi aussi, on m'y connaît, j'y ai fait tant de farces aux
Écrevisses![1] et, comme je n'ai qu'un œil, je suis difficile à déguiser.

—Il faut donc que j'y aille? dis-je à mon tour, enchanté à la
seule idée de revoir Carmen; voyons, que faut-il faire?

Les autres me dirent:

—Fais tant que de* t'embarquer* ou de passer par Saint-Roc,*
comme tu aimeras le mieux, et, lorsque tu seras à Gibraltar,

[1] Nom que le peuple en Espagne donne aux Anglais à cause de la couleur de
leur uniforme.

demande sur le port où demeure une marchande de chocolat qui s'appelle la Rollona;* quand tu l'auras trouvée, tu sauras d'elle ce qui se passe là-bas.

Il fut convenu que nous partirions tous les trois pour la sierra de Gaucin, que j'y laisserais mes deux compagnons, et que je me rendrais à Gibraltar comme un marchand de fruits. A Ronda, un homme qui était à nous m'avait procuré un passeport; à Gaucin, on me donna un âne: je le chargeai d'oranges et de melons, et je me mis en route. Arrivé à Gibraltar, je trouvai qu'on y connaissait bien la Rollona, mais elle était morte ou elle était allée à *finibus terrae*,[1]* et sa disparition expliquait, à mon avis, comment nous avions perdu notre moyen de correspondre avec Carmen. Je mis mon âne dans une écurie, et, prenant mes oranges, j'allais par la ville comme pour les vendre, mais en effet,* pour voir si je ne rencontrerais pas quelque figure de connaissance. Il y a là force canaille de tous les pays du monde, et c'est la tour de Babel, car on ne saurait faire dix pas dans une rue sans entendre parler autant de langues. Je voyais bien des gens d'Égypte, mais je n'osais guère m'y fier; je les tâtais, et ils me tâtaient. Nous devinions bien que nous étions des coquins, l'important était de savoir si nous étions de la même bande. Après deux jours passés en courses inutiles, je n'avais rien appris touchant la Rollona ni Carmen, et je pensais à retourner* auprès de mes camarades après avoir fait quelques emplettes, lorsqu'en me promenant dans une rue, au coucher du soleil, j'entendis une voix de femme d'une fenêtre qui me dit: «Marchand d'oranges! . . .» Je lève la tête, et je vois à un balcon Carmen, accoudée avec un officier en rouge, épaulettes d'or, cheveux frisés, tournure d'un gros mylord. Pour elle, elle était habillée superbement: un châle sur les épaules, un peigne d'or, tout en soie; et la bonne pièce,* toujours la même! riait à se tenir les côtés. L'Anglais, en baragouinant l'espagnol, me cria de monter, que madame voulait des oranges; et Carmen me dit en basque:

—Monte, et ne t'étonne de rien.

Rien, en effet, ne devait m'étonner de sa part. Je ne sais si j'eus plus de joie que de chagrin en la retrouvant. Il y avait à la porte un grand domestique anglais, poudré, qui me conduisit dans un salon magnifique. Carmen me dit aussitôt en basque:

—Tu ne sais pas un mot d'espagnol, tu ne me connais pas.

---

[1] Aux galères, ou bien à tous les diables.

146

Puis, se tournant vers l'Anglais:

—Je vous le disais bien, je l'ai tout de suite reconnu pour un Basque; vous allez entendre quelle drôle de langue. Comme il a l'air bête, n'est-ce pas? On dirait un chat surpris dans un garde-manger.

—Et toi, lui dis-je dans ma langue, tu as l'air d'une effrontée coquine, et j'ai bien envie de te balafrer la figure devant ton galant.

—Mon galant! dit-elle, tiens, tu as deviné cela tout seul? Et tu es jaloux de cet imbécile-là? Tu es encore plus niais qu'avant nos soirées de la rue du Candilejo. Ne vois-tu pas, sot que tu es, que je fais en ce moment les affaires d'Égypte, et de la façon la plus brillante? Cette maison est à moi, les guinées de l'écrevisse seront à moi; je le mène par le bout du nez; je le mènerai d'où il ne sortira jamais.

—Et moi, lui dis-je, si tu fais encore les affaires d'Égypte de cette manière-là, je ferai si bien que tu ne recommenceras plus.

—Ah! oui-là! Es-tu mon rom, pour me commander? Le Borgne le trouve bon, qu'as-tu à y voir? Ne devrais-tu pas être bien content d'être le seul qui se puisse dire mon *minchorrô*?[1]

—Qu'est-ce qu'il dit? demanda l'Anglais.

—Il dit qu'il a soif et qu'il boirait bien un coup, répondit Carmen.

Et elle se renversa sur un canapé en éclatant de rire à sa traduction.

Monsieur, quand cette fille-là riait, il n'y avait pas moyen de parler raison. Tout le monde riait avec elle. Ce grand Anglais se mit à rire aussi, comme un imbécile qu'il était, et ordonna qu'on m'apportât à boire.

Pendant que je buvais:

—Vois-tu cette bague qu'il a au doigt? dit-elle, si tu veux je te la donnerai.

—Je donnerais un doigt pour tenir ton mylord dans la montagne, chacun un maquila au poing.

—Maquila, qu'est-ce que cela veut dire? demanda l'Anglais.

—Maquila, dit Carmen riant toujours, c'est une orange. N'est-ce pas un bien drôle de mot pour une orange? Il dit qu'il voudrait vous faire manger du maquila.

[1] Mon amant, ou plutôt mon caprice.

—Oui? dit l'Anglais. Eh bien? apporte encore demain du maquila.

Pendant que nous parlions, le domestique entra et dit que le dîner était prêt. Alors l'Anglais se leva, me donna une piastre, et offrit son bras à Carmen, comme si elle ne pouvait pas marcher seule. Carmen, riant toujours, me dit:

—Mon garçon, je ne puis t'inviter à dîner; mais demain, dès que tu entendras le tambour pour la parade, viens ici avec des oranges. Tu trouveras une chambre mieux meublée que celle de la rue du Candilejo, et tu verras si je suis toujours ta Carmencita. Et puis nous parlerons des affaires d'Égypte.

Je ne répondis rien, et j'étais dans la rue que l'Anglais me criait:

—Apportez demain du maquila! et j'entendais les éclats de rire de Carmen.

Je sortis ne sachant ce que je ferais, je ne dormis guère, le matin je me trouvais si en colère contre cette traîtresse que j'avais résolu de partir de Gibraltar sans la revoir; mais, au premier roulement de tambour, tout mon courage m'abandonna: je pris ma natte d'oranges et je courus chez Carmen. Sa jalousie* était entrouverte, et je vis son grand œil noir qui me guettait. Le domestique poudré m'introduisit aussitôt. Carmen lui donna une commission, et dès que nous fûmes seuls, elle partit d'un de ses éclats de rire de crocodile,* et se jeta à mon cou. Je ne l'avais jamais vue si belle. Parée comme une madone, parfumée . . . des meubles de soie, des rideaux brodés . . . ah! . . . et moi fait comme un voleur que j'étais.

—Minchorrô! disait Carmen, j'ai envie de tout casser ici, de mettre le feu à la maison et de m'enfuir à la sierra.

Et c'étaient des tendresses! . . . et puis des rires! . . . et elle dansait, et elle déchirait ses falbalas: jamais singe ne fit plus de gambades, de grimaces, de diableries. Quand elle eut repris son sérieux:

—Écoute, me dit-elle, il s'agit de l'Égypte. Je veux qu'il me mène* à Ronda, où j'ai une sœur religieuse* . . . (Ici nouveaux éclats de rire.) Nous passons par un endroit que je te ferai dire. Vous tombez sur lui; pillé rasibus!* Le mieux serait de l'escoffier,* mais, ajouta-t-elle avec un sourire diabolique qu'elle avait dans de certains moments, et ce sourire-là, personne n'avait alors envie de l'imiter,—sais-tu ce qu'il faudrait faire? Que le Borgne paraisse le

148

premier. Tenez-vous un peu en arrière; l'écrevisse est brave et adroit: il a de bons pistolets . . . Comprends-tu?

Elle s'interrompit par un nouvel éclat de rire qui me fit frissonner.

—Non, lui dis-je: je hais Garcia, mais c'est mon camarade. Un jour peut-être je t'en débarrasserai, mais nous réglerons nos comptes à la façon de mon pays. Je ne suis Égyptien que par hasard; et pour certaines choses, je serai toujours franc Navarrais,* comme dit le proverbe.[1]

Elle reprit:

—Tu es une bête, un niais, un vrai *payllo*. Tu es comme le nain qui se croit grand quand il a pu cracher loin.[2] Tu ne m'aimes pas, va-t'en.

Quand elle me disait: Va-t'en, je ne pouvais m'en aller. Je promis de partir, de retourner auprès de mes camarades et d'attendre l'Anglais; de son côté, elle me promit d'être malade jusqu'au moment de quitter Gibraltar pour Ronda. Je demeurai encore deux jours à Gibraltar. Elle eut l'audace de me venir voir déguisée dans mon auberge. Je partis; moi aussi j'avais mon projet. Je retournai à notre rendez-vous, sachant le lieu et l'heure où l'Anglais et Carmen devaient passer. Je trouvai le Dancaïre et Garcia qui m'attendaient. Nous passâmes la nuit dans un bois auprès d'un feu de pommes de pin qui flambait à merveille. Je proposai à Garcia de jouer aux cartes. Il accepta. A la seconde partie je lui dis qu'il trichait; il se mit à rire. Je lui jetai les cartes à la figure. Il voulut prendre son espingole; je mis le pied dessus, et je lui dis: «On dit que tu sais jouer du couteau comme le meilleur jaque de Malaga,* veux-tu t'essayer avec moi?» Le Dancaïre voulut nous séparer. J'avais donné deux ou trois coups de poing à Garcia. La colère l'avait rendu brave; il avait tiré son couteau, moi le mien. Nous dîmes tous deux au Dancaïre de nous laisser place libre et franc jeu. Il vit qu'il n'y avait pas moyen de nous arrêter, et il s'écarta. Garcia était déjà ployé en deux comme un chat prêt à s'élancer contre une souris. Il tenait son chapeau de la main gauche, pour parer, son couteau en avant. C'est leur garde andalouse. Moi, je me mis à la navarraise, droit en face de lui, le bras

---

[1] *Navarro fino.*

[2] *Or esorjié de or narsichislé, sin chismar lachinguel.*—Proverbe bohémien: La prouesse d'un nain, c'est de cracher loin.

gauche levé, la jambe gauche en avant, le couteau le long de la cuisse droite. Je me sentais plus fort qu'un géant. Il se lança sur moi comme un trait; je tournai sur le pied gauche et il ne trouva plus rien devant lui; mais je l'atteignis à la gorge, et le couteau entra si avant, que ma main était sous son menton. Je retournai la lame si fort qu'elle se cassa. C'était fini. La lame sortit de la plaie lancée par un bouillon de sang gros comme le bras. Il tomba sur le nez, raide comme un pieu.

—Qu'as-tu fait? me dit le Dancaïre.

—Ecoute, lui dis-je; nous ne pouvions vivre ensemble. J'aime Carmen, et je veux être seul. D'ailleurs, Garcia était un coquin, et je me rappelle ce qu'il a fait au pauvre Remendado. Nous ne sommes plus que deux, mais nous sommes de bons garçons. Voyons, veux-tu de moi pour ami, à la vie, à la mort?

Le Dancaïre me tendit la main. C'était un homme de cinquante ans.

—Au diable les amourettes! s'écria-t-il. Si tu lui avais demandé Carmen, il te l'aurait vendue pour une piastre. Nous ne sommes plus que deux; comment ferons-nous demain?

—Laisse-moi faire tout seul, lui répondis-je. Maintenant je me moque du monde entier.

Nous enterrâmes Garcia, et nous allâmes placer notre camp deux cents pas plus loin. Le lendemain, Carmen et son Anglais passèrent avec deux muletiers et un domestique. Je dis au Dancaïre:

—Je me charge de l'Anglais. Fais peur aux autres, ils ne sont pas armés.

L'Anglais avait du cœur. Si Carmen ne lui eût poussé le bras, il me tuait. Bref, je reconquis Carmen ce jour-là, et mon premier mot fut de lui dire qu'elle était veuve. Quand elle sut comment cela s'était passé:

—Tu seras toujours un *lillipendi*! me dit-elle. Garcia devait te tuer.* Ta garde navarraise n'est qu'une bêtise, et il en a mis à l'ombre de plus habiles que toi. C'est que son temps était venu. Le tien viendra.

—Et le tien, répondis-je, si tu n'es pas pour moi une vraie romi.

—A la bonne heure, dit-elle; j'ai vu plus d'une fois dans du marc de café que nous devions finir ensemble. Bah! arrive qui plante!*

Et elle fit claquer ses castagnettes, ce qu'elle faisait toujours quand elle voulait chasser quelque idée importune.

On s'oublie quand on parle de soi. Tous ces détails-là vous ennuient sans doute, mais j'ai bientôt fini. La vie que nous menions dura assez longtemps. Le Dancaïre et moi nous nous étions associé quelques camarades plus sûrs que les premiers, et nous nous occupions de contrebande, et aussi parfois, il faut bien l'avouer, nous arrêtions sur la grande route, mais à la dernière extrémité, et lorsque nous ne pouvions faire autrement. D'ailleurs nous ne maltraitions pas les voyageurs, et nous nous bornions à leur prendre leur argent. Pendant quelques mois je fus content de Carmen; elle continuait à nous être utile pour nos opérations, en nous avertissant des bons coups que nous pourrions faire. Elle se tenait, soit à Malaga, soit à Cordoue, soit à Grenade; mais, sur un mot de moi, elle quittait tout, et venait me retrouver dans une venta isolée, ou même au bivouac. Une fois seulement, c'était à Malaga, elle me donna quelque inquiétude. Je sus qu'elle avait jeté son dévolu sur un négociant fort riche, avec lequel probablement elle se proposait de recommencer la plaisanterie de Gibraltar. Malgré tout ce que le Dancaïre put me dire pour m'arrêter, je partis et j'entrai dans Malaga en plein jour, je cherchai Carmen et je l'emmenai aussitôt. Nous eûmes une verte explication.

—Sais-tu, me dit-elle, que, depuis que tu es mon rom pour tout de bon, je t'aime moins que lorsque tu étais mon minchorrô? Je ne veux pas être tourmentée ni surtout commandée. Ce que je veux, c'est être libre et faire ce qui me plaît. Prends garde de me pousser à bout. Si tu m'ennuies, je trouverai quelque bon garçon qui te fera comme tu as fait au borgne.

Le Dancaïre nous raccommoda; mais nous nous étions dit des choses qui nous restaient sur le cœur et nous n'étions plus comme auparavant. Peu après, un malheur nous arriva. La troupe nous surprit. Le Dancaïre fut tué, ainsi que deux de mes camarades; deux autres furent pris. Moi, je fus grièvement blessé, et, sans mon bon cheval, je demeurais entre les mains des soldats. Exténué de fatigue, ayant une balle dans le corps, j'allai me cacher dans un bois avec le seul compagnon qui me restât. Je m'évanouis en descendant de cheval, et je crus que j'allais crever dans les broussailles comme un lièvre qui a reçu du plomb. Mon camarade me porta dans une grotte que nous connaissions, puis alla chercher Carmen. Elle était à Grenade, et aussitôt elle accourut. Pendant quinze jours, elle ne me quitta pas d'un instant. Elle ne ferma pas l'œil; elle me soigna avec une adresse et des attentions que jamais femme n'a eues pour l'homme le plus aimé. Dès que je pus me tenir sur mes jambes, elle me mena à Grenade dans le plus grand secret. Les bohémiennes trouvent partout des asiles sûrs, et je passai plus de six semaines dans une maison, à deux portes du corrégidor qui me cherchait. Plus d'une fois, regardant derrière un volet, je le vis passer. Enfin, je me rétablis; mais j'avais fait bien des réflexions sur mon lit de douleur, et je projetais de changer de vie. Je parlai à Carmen de quitter l'Espagne, et de chercher à vivre honnêtement dans le Nouveau Monde. Elle se moqua de moi.

—Nous ne sommes pas faits pour planter des choux, dit-elle; notre destin, à nous, c'est de vivre aux dépens des *payllos*. Tiens, j'ai arrangé une affaire avec Nathan Ben-Joseph de Gibraltar. Il a des cotonnades qui n'attendent que toi pour passer. Il sait que tu es vivant. Il compte sur toi. Que diraient nos correspondants de Gibraltar, si tu leur manquais de parole?

Je me laissai entraîner, et je repris mon vilain commerce.

Pendant que j'étais caché à Grenade, il y eut des courses de taureaux où Carmen alla. En revenant, elle parla beaucoup d'un picador très adroit nommé Lucas. Elle savait le nom de son cheval, et combien lui coûtait sa veste brodée. Je n'y fis pas attention. Juanito, le camarade qui m'était resté, me dit, quelques jours après, qu'il avait vu Carmen avec Lucas chez un marchand du Zacatin.* Cela commença à m'alarmer. Je demandai à Carmen comment et pourquoi elle avait fait connaissance avec le picador.

—C'est un garçon, me dit-elle, avec qui on peut faire une affaire. Rivière qui fait du bruit a de l'eau ou des cailloux.[1] Il a gagné douze cents réaux* aux courses. De deux choses l'une: ou bien il faut avoir cet argent; ou bien, comme c'est un bon cavalier et un gaillard de cœur, on peut l'enrôler dans notre bande. Un tel et un tel sont morts, tu as besoin de les remplacer. Prends-le avec toi.

—Je ne veux, répondis-je, ni de son argent, ni de sa personne, et je te défends de lui parler.

—Prends garde, me dit-elle; lorsqu'on me défie de faire une chose, elle est bientôt faite!

Heureusement le picador partit pour Malaga, et moi, je me mis en devoir de faire entrer les cotonnades du Juif. J'eus fort à faire

---

[1] *Len sos sonsi abela.*
Pani o reblendani terela. (Proverbe bohémien.)

dans cette expédition-là, Carmen aussi, et j'oubliai Lucas; peut-être aussi l'oublia-t-elle, pour le moment du moins. C'est vers ce temps, monsieur, que je vous rencontrai, d'abord près de Montilla, puis après à Cordoue. Je ne vous parlerai pas de notre dernière entrevue. Vous en savez peut-être plus long que moi. Carmen vous vola votre montre; elle voulait encore votre argent, et surtout cette bague que je vois à votre doigt, et qui, dit-elle, est un anneau magique qu'il lui importait beaucoup de posséder. Nous eûmes une violente dispute, et je la frappai. Elle pâlit et pleura. C'était la première fois que je la voyais pleurer, et cela me fit un effet terrible. Je lui demandai pardon, mais elle me bouda pendant tout un jour, et, quand je repartis pour Montilla, elle ne voulut pas m'embrasser. J'avais le cœur gros, lorsque, trois jours après, elle vint me trouver l'air riant et gaie comme un pinson. Tout était oublié et nous avions l'air d'amoureux de deux jours. Au moment de nous séparer, elle me dit:

—Il y a une fête à Cordoue, je vais la voir, puis je saurai les gens qui s'en vont avec de l'argent, et je te le dirai.

Je la laissai partir. Seul, je pensai à cette fête et à ce changement d'humeur de Carmen. Il faut qu'elle se soit vengée déjà, me dis-je, puisqu'elle est revenue la première. Un paysan me dit qu'il y avait des taureaux à Cordoue. Voilà mon sang qui bouillonne, et, comme un fou, je pars, et je vais à la place. On me montra Lucas, et, sur le banc contre la barrière, je reconnus Carmen. Il me suffit de la voir une minute pour être sûr de mon fait. Lucas, au premier taureau, fit le joli cœur, comme je l'avais prévu. Il arracha la cocarde[1] du taureau et la porta à Carmen, qui s'en coiffa sur-le-champ. Le taureau se chargea de me venger. Lucas fut culbuté avec son cheval sur la poitrine, et le taureau par-dessus tous les deux. Je regardai Carmen, elle n'était déjà plus à sa place. Il m'était impossible de sortir de celle où j'étais, et je fus obligé d'attendre la fin des courses. Alors j'allai à la maison que vous connaissez, et je m'y tins coi toute la soirée et une partie de la nuit. Vers deux heures du matin Carmen revint, et fut un peu surprise de me voir.

—Viens avec moi, lui dis-je.

[1] *La divisa*, nœud de rubans dont la couleur indique les pâturages d'où viennent les taureaux. Ce nœud est fixé dans la peau du taureau au moyen d'un crochet, et c'est le comble de la galanterie que de l'arracher à l'animal vivant, pour l'offrir à une femme.

—Eh bien! dit-elle, partons.

J'allai prendre mon cheval, je la mis en croupe, et nous marchâmes tout le reste de la nuit sans nous dire un seul mot. Nous nous arrêtâmes au jour dans une venta isolée, assez près d'un petit ermitage. Là je dis à Carmen:

—Écoute, j'oublie tout. Je ne te parlerai de rien; mais jure-moi une chose: c'est que tu vas me suivre en Amérique, et que tu t'y tiendras tranquille.

—Non, dit-elle d'un ton boudeur, je ne veux pas aller en Amérique. Je me trouve bien ici.

—C'est parce que tu es près de Lucas; mais songes-y bien, s'il guérit, ce ne sera pas pour faire de vieux os. Au reste, pourquoi m'en prendre à lui? Je suis las de tuer tous tes amants; c'est toi que je tuerai.

Elle me regarda fixement de son regard sauvage et me dit:

—J'ai toujours pensé que tu me tuerais. La première fois que je t'ai vu, je venais de rencontrer un prêtre à la porte de ma maison. Et cette nuit, en sortant de Cordoue, n'as-tu rien vu? Un lièvre a traversé le chemin entre les pieds de ton cheval. C'est écrit.*

—Carmencita, lui demandai-je, est-ce que tu ne m'aimes plus?

Elle ne répondit rien. Elle était assise les jambes croisées sur une natte et faisait des traits* par terre avec son doigt.

—Changeons de vie, Carmen, lui dis-je d'un ton suppliant. Allons vivre quelque part où nous ne serons jamais séparés. Tu sais que nous avons, pas loin d'ici, sous un chêne, cent vingt onces enterrées . . . Puis, nous avons des fonds encore chez le Juif Ben-Joseph.

Elle se mit à sourire, et me dit:

—Moi d'abord, toi ensuite. Je sais bien que cela doit arriver ainsi.

—Réfléchis, repris-je; je suis au bout de ma patience et de mon courage; prends ton parti ou je prendrai le mien.

Je la quittai et j'allai me promener du côté de l'ermitage. Je trouvai l'ermite qui priait. J'attendis que sa prière fût finie; j'aurais bien voulu prier, mais je ne pouvais pas. Quand il se releva j'allai à lui.

—Mon père, lui dis-je, voulez-vous prier pour quelqu'un qui est en grand péril?

—Je prie pour tous les affligés, dit-il.

—Pouvez-vous dire une messe pour une âme qui va peut-être paraître devant son Créateur?

Oui, répondit-il en me regardant fixement.

Et, comme il y avait dans mon air quelque chose d'étrange, il voulut me faire parler:

—Il me semble que je vous ai vu, dit-il.

Je mis une piastre sur son banc.

—Quand direz-vous la messe? lui demandai-je.

—Dans une demi-heure. Le fils de l'aubergiste de là-bas va venir la servir. Dites-moi, jeune homme, n'avez-vous pas quelque chose sur la conscience qui vous tourmente? voulez-vous écouter les conseils d'un chrétien?

Je me sentais près de pleurer. Je lui dis que je reviendrais, et je me sauvai. J'allai me coucher sur l'herbe jusqu'à ce que j'entendisse la cloche. Alors, je m'approchai, mais je restai en dehors de la chapelle. Quand la messe fut dite, je retournai à la venta. J'espérais que Carmen se serait enfuie; elle aurait pu prendre mon cheval et se sauver . . . mais je la retrouvai. Elle ne voulait pas qu'on pût dire que je lui avais fait peur. Pendant mon absence, elle avait défait l'ourlet de sa robe pour en retirer le plomb.* Maintenant, elle était devant une table, regardant dans une terrine pleine d'eau le plomb qu'elle avait fait fondre, et qu'elle venait d'y jeter. Elle était si occupée de sa magie qu'elle ne s'aperçut pas d'abord de mon retour. Tantôt elle prenait un morceau de plomb et le tournait de tous les côtés d'un air triste, tantôt elle chantait quelqu'une de ces chansons magiques où elles invoquent Marie Padilla, la maî-tresse de don Pédro, qui fut, dit-on, la *Bari Crallisa*, ou la grande reine des Bohémiens:[1]

—Carmen, lui dis-je, voulez-vous venir avec moi?

Elle se leva, jeta sa sébile, et mit sa mantille sur sa tête comme prête à partir. On m'amena mon cheval, elle monta en croupe et nous nous éloignâmes.

—Ainsi, lui dis-je, ma Carmen, après un bout de chemin, tu veux bien me suivre, n'est-ce pas?

—Je te suis à la mort, oui, mais je ne vivrai plus avec toi.

[1] On a accusé Marie Padilla d'avoir ensorcelé le roi don Pèdre. Une tradition populaire rapporte qu'elle avait fait présent à la reine Blanche de Bourbon d'une ceinture d'or, qui parut aux yeux fascinés du roi comme un serpent vivant. De là la répugnance qu'il montra toujours pour la malheureuse princesse.

Nous étions dans une gorge solitaire; j'arrêtai mon cheval.

—Est-ce ici? dit-elle.

Et d'un bond elle fut à terre. Elle ôta sa mantille, la jeta à ses pieds, et se tint immobile un poing sur la hanche, me regardant fixement.

—Tu veux me tuer, je le vois bien, dit-elle; c'est écrit, mais tu ne me feras pas céder.

—Je t'en prie, lui dis-je, sois raisonnable. Écoute-moi! tout le passé est oublié. Pourtant, tu le sais, c'est toi qui m'as perdu; c'est pour toi que je suis devenu un voleur et un meurtrier. Carmen! ma Carmen! laisse-moi te sauver et me sauver avec toi.

—José,* répondit-elle, tu me demandes l'impossible. Je ne t'aime plus; toi, tu m'aimes encore, et c'est pour cela que tu veux me tuer. Je pourrais bien encore te faire quelque mensonge; mais je ne veux pas m'en donner la peine. Tout est fini entre nous. Comme mon rom, tu as le droit de tuer ta romi; mais Carmen sera toujours libre. Calli elle est née, calli elle mourra.

—Tu aimes donc Lucas? lui demandai-je.

—Oui, je l'ai aimé, comme toi, un instant, moins que toi peut-être. A présent, je n'aime plus rien, et je me hais pour t'avoir aimé.

Je me jetai à ses pieds, je lui pris les mains, je les arrosai de mes larmes. Je lui rappelai tous les moments de bonheur que nous avions passés ensemble. Je lui offris de rester brigand pour lui plaire. Tout, monsieur, tout; je lui offris tout, pourvu qu'elle voulût m'aimer encore!

Elle me dit:

—T'aimer encore, c'est impossible. Vivre avec toi, je ne le veux pas.

La fureur me possédait. Je tirai mon couteau. J'aurais voulu qu'elle eût peur et me demandât grâce, mais cette femme était un démon.

—Pour la dernière fois, m'écriai-je, veux-tu rester avec moi!

—Non! non! non! dit-elle en frappant du pied.

Et elle tira de son doigt une bague que je lui avais donnée, et la jeta dans les broussailles.

Je la frappai deux fois. C'était le couteau du Borgne que j'avais pris, ayant cassé le mien. Elle tomba au second coup sans crier. Je crois voir encore son grand œil noir me regarder fixement; puis il devint trouble et se ferma. Je restai anéanti une bonne heure devant ce cadavre. Puis, je me rappelai que Carmen m'avait dit souvent qu'elle aimerait à être enterrée dans un bois. Je lui creusai une fosse avec mon couteau, et je l'y déposai. Je cherchai long-temps sa bague et je la trouvai à la fin. Je la mis dans la fosse auprès d'elle avec une petite croix. Peut-être ai-je eu tort. Ensuite je montai sur mon cheval, je galopai jusqu'à Cordoue, et au premier corps de garde je me fis connaître. J'ai dit que j'avais tué Carmen; mais je n'ai pas voulu dire où était son corps. L'ermite était un saint homme. Il a prié pour elle. Il a dit une messe pour son âme . . . Pauvre enfant! Ce sont les *Calés* qui sont coupables pour l'avoir élevée ainsi.

IV

L'Espagne est un des pays où se trouvent aujourd'hui en plus grand nombre encore, ces nomades dispersés dans toute l'Europe, et connus sous les noms de *Bohémiens,** *Gitanos, Gypsies, Zigeuner,* etc. La plupart demeurent, ou plutôt mènent une vie errante dans les provinces du Sud et de l'Est, en Andalousie, en Estramadure, dans le royaume de Murcie; il y en a beaucoup en Catalogne. Ces derniers passent souvent en France. On en rencontre dans toutes nos foires du Midi. D'ordinaire, les hommes exercent les métiers de maquignon, de vétérinaire et de tondeur de mulets; ils y joi-gnent l'industrie de raccommoder les poêlons et les instruments de cuivre, sans parler de la contrebande et autres pratiques illicites. Les femmes disent la bonne aventure, mendient et vendent toutes sortes de drogues innocentes ou non.

Les caractères physiques des Bohémiens sont plus faciles à distinguer qu'à décrire, et lorsqu'on en a vu un seul, on recon-naîtrait entre mille un individu de cette race. La physionomie, l'expression, voilà surtout ce qui les sépare des peuples qui ha-bitent le même pays. Leur teint est très basané, toujours plus foncé que celui des populations parmi lesquelles ils vivent. De là le nom de *Calés*, les noirs, par lequel ils se désignent souvent.[1] Leurs yeux sensiblement obliques, bien fendus, très noirs, sont ombragés par des cils longs et épais. On ne peut comparer leur

[1] Il m'a semblé que les Bohémiens allemands, bien qu'ils comprennent par-faitement le mot *Calés*, n'aimaient point à être appelés de la sorte. Ils s'appellent entre eux *Romané tchavé.*

regard qu'à celui d'une bête fauve. L'audace et la timidité s'y peignent tout à la fois, et sous ce rapport leurs yeux révèlent assez bien le caractère de la nation, rusée, hardie, mais craignant *naturellement les coups* comme Panurge.* Pour la plupart les hommes sont bien découplés, sveltes, agiles; je ne crois pas en avoir jamais vu un seul chargé d'embonpoint. En Allemagne, les Bohémiennes sont souvent très jolies; la beauté est fort rare parmi les Gitanas d'Espagne. Très jeunes elles peuvent passer pour des laiderons agréables; mais une fois qu'elles sont mères, elles deviennent repoussantes. La saleté des deux sexes est incroyable, et qui n'a pas vu les cheveux d'une matrone bohémienne s'en fera difficilement une idée, même en se représentant les crins les plus rudes, les plus gras, les plus poudreux. Dans quelques grandes villes d'Andalousie, certaines jeunes filles, un peu plus agréables que les autres, prennent plus de soin de leur personne. Celles-là vont danser pour de l'argent, des danses qui ressemblent fort à celles que l'on interdit dans nos bals publics du carnaval. M. Borrow, missionnaire anglais,* auteur de deux ouvrages fort intéressants sur les Bohémiens d'Espagne, qu'il avait entrepris de convertir, aux frais de la Société biblique, assure qu'il est sans exemple qu'une Gitana ait jamais eu quelque faiblesse pour un homme étranger à sa race. Il me semble qu'il y a beaucoup d'exagération dans les éloges qu'il accorde à leur chasteté. D'abord, le plus grand nombre est dans le cas de la laide d'Ovide: *Casta quam nemo rogavit.** Quant aux jolies, elles sont comme toutes les Espagnoles, difficiles dans le choix de leurs amants. Il faut leur plaire, il faut les mériter. M. Borrow cite comme preuve de leur vertu un trait qui fait honneur à la sienne, surtout à sa naïveté. Un homme immoral de sa connaissance offrit, dit-il, inutilement plusieurs onces à une jolie Gitana. Un Andalou, à qui je racontai cette anecdote, prétendit que cet homme immoral aurait eu plus de succès en montrant deux ou trois piastres, et qu'offrir des onces d'or à une bohémienne, était un aussi mauvais moyen de persuader, que de promettre un million ou deux à une fille d'auberge.—Quoi qu'il en soit, il est certain que les Gitanas montrent à leurs maris un dévoûment extraordinaire. Il n'y a pas de danger ni de misères qu'elles ne bravent pour les secourir en leurs nécessités. Un des noms que se donnent les Bohémiens, *Romé* ou les *époux*, me paraît attester le respect de la race pour l'état de mariage. En général on peut dire que leur principale vertu est le patriotisme si l'on peut ainsi appeler la fidélité qu'ils observent dans leurs relations avec les individus de même origine qu'eux, leur empressement à s'entr'aider, le secret inviolable qu'ils se gardent dans les affaires compromettantes. Au reste, dans toutes les associations mystérieuses et en dehors des lois, on observe quelque chose de semblable.

J'ai visité, il y a quelques mois, une horde de Bohémiens établis dans les Vosges. Dans la hutte d'une vieille femme, l'ancienne de sa tribu, il y avait un Bohémien étranger à sa famille, attaqué d'une maladie mortelle. Cet homme avait quitté un hôpital où il était bien soigné, pour aller mourir au milieu de ses compatriotes. Depuis treize semaines il était alité chez ses hôtes, et beaucoup mieux traité que les fils et les gendres qui vivaient dans la même maison. Il avait un bon lit de paille et de mousse avec des draps assez blancs, tandis que le reste de la famille, au nombre de onze personnes, couchaient sur des planches longues de trois pieds. Voilà pour leur hospitalité. La même femme, si humaine pour son hôte, me disait devant le malade: *Singo, singo, homte hi mulo.* Dans peu, dans peu, il faut qu'il meure. Après tout, la vie de ces gens est si misérable, que l'annonce de la mort n'a rien d'effrayant pour eux.

Un trait remarquable du caractère des Bohémiens, c'est leur indifférence en matière de religion; non qu'ils soient esprits forts ou sceptiques. Jamais ils n'ont fait profession d'athéisme. Loin de là, la religion du pays qu'ils habitent est la leur; mais ils en changent en changeant de patrie. Les superstitions qui, chez les peuples grossiers, remplacent les sentiments religieux, leur sont également étrangères. Le moyen, en effet, que* des superstitions existent chez des gens qui vivent le plus souvent de la crédulité des autres. Cependant, j'ai remarqué chez les Bohémiens espagnols une horreur singulière pour le contact d'un cadavre. Il y en a peu qui consentiraient pour de l'argent à porter un mort au cimetière.

J'ai dit que la plupart des Bohémiennes se mêlaient de* dire la bonne aventure. Elles s'en acquittent fort bien. Mais ce qui est pour elles une source de grands profits, c'est la vente des charmes et des philtres amoureux. Non seulement elles tiennent* des pattes de crapauds pour fixer les cœurs volages, ou de la poudre de pierre d'aimant pour se faire aimer des insensibles;* mais elles font au besoin des conjurations puissantes qui obligent le diable à leur prêter son secours. L'année dernière, une Espagnole me racontait l'histoire suivante: Elle passait un jour dans la rue d'Alcala,* fort triste et préoccupée; une Bohémienne accroupie sur le trottoir lui cria: «Ma belle dame, votre amant vous a trahie.» C'était la vérité. «Voulez-vous que je vous le fasse revenir?» On comprend avec quelle joie la proposition fut acceptée, et quelle devait être la confiance inspirée par une personne qui devinait ainsi, d'un coup d'œil, les secrets intimes du cœur. Comme il eût été impossible de procéder à des opérations magiques dans la rue la plus fréquentée de Madrid, on convint d'un rendez-vous pour le lendemain. «Rien de plus facile que de ramener l'infidèle à vos pieds, dit la Gitana. Auriez-vous un mouchoir, une écharpe, une mantille qu'il vous ait donnée?» On lui remit un fichu de soie. «Maintenant cousez avec de la soie cramoisie, une piastre dans un coin du fichu.—Dans un autre coin cousez une demi-piastre; ici, une piécette; là, une pièce de deux réaux. Puis il faut coudre au milieu une pièce d'or. Un doublon serait le mieux.» On coud le doublon et le reste. «A présent, donnez-moi le fichu, je vais le porter au Campo-Santo,* à minuit sonnant. Venez avec moi, si vous voulez voir une belle diablerie. Je vous promets que dès demain vous reverrez celui que vous aimez.» La Bohémienne partit seule pour le Campo-Santo, car on avait trop peur des diables pour l'accompagner. Je vous laisse à penser si la pauvre amante délaissée a revu son fichu et son infidèle.

Malgré leur misère et l'espèce d'aversion qu'ils inspirent, les Bohémiens jouissent cependant d'une certaine considération parmi les gens peu éclairés, et ils en sont très vains. Ils se sentent une race supérieure pour l'intelligence et méprisent cordialement le peuple qui leur donne l'hospitalité.—Les Gentils sont si bêtes, me disait une Bohémienne des Vosges, qu'il n'y a aucun mérite à les attraper. L'autre jour, une paysanne m'appelle dans la rue, j'entre chez elle. Son poêle fumait, et elle me demande un sort pour le faire aller. Moi, je me fais d'abord donner un bon morceau de lard. Puis, je me mets à marmotter quelques mots en rommani. «Tu es bête, je disais, tu es née bête, bête tu mourras . . .» Quand je fus près de la porte, je lui dis en bon allemand:* «Le moyen infaillible d'empêcher ton poêle de fumer, c'est de n'y pas faire de feu.» Et je pris mes jambes à mon cou.

L'histoire des Bohémiens est encore un problème. On sait à la vérité que leurs premières bandes, fort peu nombreuses, se montrèrent dans l'est de l'Europe, vers le commencement du xv^e

siècle; mais on ne peut dire ni d'où ils viennent, ni pourquoi ils sont venus en Europe, et, ce qui est plus extraordinaire, on ignore comment ils se sont multipliés en peu de temps d'une façon si prodigieuse dans plusieurs contrées fort éloignées les unes des autres. Les Bohémiens eux-mêmes n'ont conservé aucune tradition sur leur origine, et si la plupart d'entre eux parlent de l'Égypte comme de leur patrie primitive, c'est qu'ils ont adopté une fable très anciennement répandue sur leur compte.

La plupart des orientalistes qui ont étudié la langue des Bohémiens, croient qu'ils sont originaires de l'Inde. En effet, il paraît qu'un grand nombre de racines et beaucoup de formes grammaticales du rommani se retrouvent dans des idiomes dérivés du sanscrit. On conçoit que dans leurs longues pérégrinations, les Bohémiens ont adopté beaucoup de mots étrangers. Dans tous les dialectes du rommani, on trouve quantité de mots grecs. Par exemple: *cocal*, os, de χόχχαλον; *pétalli*,* fer de cheval, de πέταλον; *cafi*, clou, de χαρφί, etc. Aujourd'hui, les Bohémiens ont presque autant de dialectes différents qu'il existe de hordes de leur race séparées les unes des autres. Partout ils parlent la langue du pays qu'ils habitent plus facilement que leur propre idiome, dont ils ne font guère usage que pour pouvoir s'entretenir librement devant des étrangers. Si l'on compare le dialecte des Bohémiens de l'Allemagne avec celui des Espagnols, sans communication avec les premiers depuis des siècles, on reconnaît une très grande quantité de mots communs; mais la langue originale partout, quoiqu'à différents degrés, s'est notablement altérée par le contact des langues plus cultivées, dont ces nomades ont été contraints de faire usage. L'allemand, d'un côté, l'espagnol, de l'autre, ont tellement modifié le fond du rommani, qu'il serait impossible à un Bohémien de la Forêt Noire de converser avec un de ses frères andalous, bien qu'il leur suffît d'échanger quelques phrases pour reconnaître qu'ils parlent tous les deux un dialecte dérivé du même idiome. Quelques mots d'un usage très fréquent sont communs, je crois, à tous les dialectes; ainsi, dans tous les vocabulaires que j'ai pu voir; *pani* veut dire de l'eau, *manro*, du pain, *mâs*, de la viande, *lon*, du sel.

Les noms de nombre sont partout à peu près les mêmes. Le dialecte allemand me semble beaucoup plus pur que le dialecte espagnol; car il a conservé nombre de formes grammaticales primitives, tandis que les Gitanos ont adopté celles du castillan.*

Pourtant quelques mots font exception pour attester l'ancienne communauté de langage.—Les prétérits du dialecte allemand se forment en ajoutant *ium* à l'impératif qui est toujours la racine du verbe. Les verbes, dans le rommani espagnol, se conjuguent tous sur le modèle des verbes castillans de la première conjugaison. De l'infinitif *jamar*, manger, on devrait régulièrement faire *jamé*, j'ai mangé, de *lillar*, prendre, on devrait faire *lillé*, j'ai pris. Cependant quelques vieux bohémiens disent par exception: *jayon, lillon*. Je ne connais pas d'autres verbes qui aient conservé cette forme antique.

Pendant que je fais ainsi étalage de mes minces connaissances dans la langue rommani, je dois noter quelques mots d'argot français que nos voleurs ont empruntés aux Bohémiens. *Les Mystères de Paris** ont appris à la bonne compagnie* que *chourin* voulait dire couteau. C'est du rommani pur; *tchouri* est un de ces mots communs à tous les dialectes. M. Vidocq* appelle un cheval *grès*, c'est encore un mot bohémien *gras, gre, graste, gris*. Ajoutez encore le mot *romanichel* qui dans l'argot parisien désigne les Bohémiens. C'est la corruption de *romané tchave*, gars bohémiens. Mais une étymologie dont je suis fier, c'est celle de *frimousse*,* mine, visage, mot que tous les écoliers emploient ou employaient de mon temps. Observez d'abord que Oudin,* dans son curieux dictionnaire, écrivait en 1640, *firlimousse*. Or, *firla, fila* en rommani veut dire visage, *mui* a la même signification, c'est exactement *os* des Latins. La combinaison *firlamui* a été sur-le-champ comprise par un Bohémien puriste, et je la crois conforme au génie de sa langue.

En voilà assez pour donner aux lecteurs de *Carmen* une idée avantageuse de mes études sur le rommani. Je terminerai par ce proverbe qui vient à propos: *En retudi panda nasti abela macha*. En close bouche, n'entre point mouche.

Notes

Annotation has been kept to a minimum. The reader will find further information in the editions listed in our bibliography.

As a general rule no reference is made in the notes to words and phrases that receive adequate explanation in *Harrap's Shorter French and English Dictionary*. Exceptions have been made in cases where, in the opinion of the editor, the inexperienced dictionary user might fail to locate the meaning of a word or phrase as used by Mérimée in a particular context. Attention is drawn also to certain words which might mistakenly be taken to have the meaning of English words of similar appearance.

Numbers refer to pages in the text.

Mateo Falcone

49 **Porto-Vecchio:** a port in the south-eastern corner of Corsica.

maquis: from the Italian *macchia*, a 'spot' or 'stain'. Hitherto, the usual French spelling had been *makis*. Mérimée goes on to give an accurate description of the Corsican scrub.

fumer: 'to manure.' (Cf. *le fumier*, 'dung', 'manure.')

arrive que pourra: 'come what may.' *Arrive* is 3rd pers. sing. of the present subjunctive. (Cf. *advienne que pourra*.)

sans se consumer: i.e. untouched by the flames.

cépées: 'shoots' (from stump of copse-wood).

pieds: now obsolete, the *pied* was longer than the English foot, being equivalent to 33 cm.

taillis fourré: 'thicket.' (Here *fourré* is, of course, an adjective. Already in Mérimée's day it had become a masculine noun, and in contemporary French *un fourré* is the usual way of referring to a thicket.)

mouflons: a species of wild sheep found in the mountainous regions of Corsica, Sardinia and Greece. The male has curved horns that can sometimes reach a length of 80 cm.

parents: 'relatives', not 'parents'. The allusion is, of course, to the Corsican practice of *vendetta*.

50 **une demi-lieue:** the French league varied in length but approximated to 4 km.

163

couleur de revers de botte: i.e. dark-brown.

un transparent de papier: simply 'a sheet of transparent paper.'

un mérite aussi transcendant: 'such an extraordinary talent.'

Corte: a town situated in the centre of the island.

L'affaire assoupie: 'When the affair had died down', a concise construction much liked by Mérimée.

il annonçait déjà d'heureuses dispositions: 'he was already full of promise.'

visiter: 'to inspect.' (Cf. notes to page 54.)

51 **clientèle:** a train of dependants, who would give protection if necessary.

52 **Que j'attende?:** ellipsis for *Tu veux que j'attende?*

Me laisseras-tu donc arrêter: 'Would you have me arrested?'

un tas de foin: "On a fait remarquer que le fourrage n'existe guère dans le maquis et que l'on ne trouve pas de tas de foin à la porte des maisons." (Parturier's note.)

adjudant: 'sergeant-major.'

quelque peu parent: i.e. a distant relation.

53 **Si j'ai vu passer un homme?:** ellipsis for *Tu me demandes si j'ai vu passer un homme?*

tu fais le malin! 'you're playing tricks with me!'

Il n'allait plus que d'une patte: 'He was making off on one foot.' (In colloquial French *patte* is often applied to a human foot.)

il ne tient qu'à moi de te faire changer de note: 'I can easily make you change your tune.'

Bastia: a town on the north-east coast of the island. Under the Genoese, who controlled Corsica until it was bought by the French in 1768, Bastia was the island's capital.

54 **embarrassé:** 'at a loss.'

visité: 'searched.' (Cf. notes to page 50.)

avec négligence: 'without much care.'

se donnaient au diable: *se donner au diable* can mean both 'to go to immense trouble' and 'to be beside oneself with rage'.

le fils de Falcone: Naaman observes: "Quand Mérimée remplace «Fortunato» par «le fils de Falcone», ce n'est pas pour éviter une répétition ou pour employer une périphrase, mais c'est pour souligner la «prétention» et «l'orgueil» du petit."

un gaillard bien éveillé: 'a smart chap.' (literally, 'wide-awake.')

pour ta peine d'avoir menti: 'for your pains as a liar.'

Savoir?: 'Is that so?'

Mais tiens: 'Look here.'

brave: 'good.' (not 'brave.')

dix écus: an *écu* was equivalent to three francs.

55 **mon épaulette:** i.e. his rank.

boîte: 'case.'

toute de feu: 'ablaze.'

Perché me c. . . .?: The Italian verb *coglionare* is vulgar, hence its suppression.

56 **se lever en pied:** 'to stand up', an archaic expression.

Fils de . . . ! : the reader is obliged to supply some such word as *putain*, 'whore'.

commodément: here =•*à l'aise*. This is not the speech of an educated man.

se prélassait: 'was strolling along.' As used here, the word is archaic. *Le Petit Robert* gives the following definition of this particular usage: "Prendre un air important, une attitude, une démarche nonchalante et satisfaite: «L'âne, se prélassant, marche seul devant eux.» (La Fontaine)." In modern French it refers to stationary postures, e.g. *se prélasser dans un fauteuil* ('to sprawl'), *se prélasser au soleil* ('to bask').

un particulier bien famé: 'an individual of good repute.' Mérimée places the phrase in italics in order to emphasize that this is the official jargon.

57 **était fort en peine:** 'was extremely ill at ease.'

s'il était son ami, et qu'il voulût le défendre: Note that *que* often replaces *si* in a second 'if'-clause. It is followed by the subjunctive. The substitution of *que* for *si* is not obligatory. In the first version of the story Mérimée had in fact written: "S'il était son ami, et s'il voulait le défendre."

bourres: 'wads.' The guns of the time were muzzle-loaders. The powder and shot were held in place by wads of felt, cardboard, paper, cork or tow. Gamba's reflexion reveals Mateo's proximity, as the wads carried only a short distance.

Pepa: affectionate abbreviation of Giuseppa.

58 **ce n'était qu'un Français:** cf. *Tamango*, p. 79.

le diable ne l'aurait pu découvrir: in modern French it would be more usual to find *le diable n'aurait pu le découvrir*. Placing the pronoun before the main verb, instead of immediately before the infinitive of which it is the object, was once very common. Examples of this practice are still to be found in literary French (particularly when the main verb is *pouvoir, vouloir, devoir, falloir, aller, venir, savoir, croire, penser, oser*). Cf. Mérimée's next sentence.

malice: 'trick', 'ruse'. *Malice* often means 'mischievousness' (*cf.* pp. 89, 91 and 95).

mon cousin: surely a slip for *mon oncle*?

tomba roide mort: 'fell down dead.' *Roide* is archaic for *raide*.

je lui ferai chanter une messe: 'I'll have a mass sung for him.'

Tamango

61 **Ledoux:** the name is ironic.

aide-timonier: 'helmsman.'
Trafalgar: the defeat of the French in 1805 by Lord Nelson.
prises: 'prizes.'
lougre: 'lugger.' (A small ship with four-cornered sails set fore and aft.)
La paix: signed at the Congress of Vienna on 9 June 1815.
Quand la traite . . . : the Congress of Vienna abolished slave-trading but the decision proved difficult to implement and the trade continued. Trahard observes: "On aimerait à croire que «Tamango» aida à la libération des noirs: dix-huit mois après sa publication, la loi du 4 mars 1831 met fin à la traite des esclaves."
bâtiments: 'vessels.'
62 **brick:** 'brig.' (Like the lugger, a ship with two masts, but bigger and therefore a step up from the command of a lugger.)
L'Espérance: ironic.
rentrés: 'sunken.'
Nantes: one of the leading slave ports on the Atlantic coast.
vendredi: cf. *La Vénus d'Ille*, p. 95, and *Carmen*, p. 127.
barres de justice: 'irons.'
Joale: "Le port de Joale — ou Joal (colonie du Sénégal, cercle de Thiès) — où aborde le vaisseau négrier et où Tamango conduit des nègres est loin du pays des Mandingues et n'est pas son débouché sur la côte." (René Musset, quoted by Parturier.)
63 **courtiers:** 'slave-dealers.' (Literally, 'middlemen' or 'brokers.')
place: 'market.'
toile de Guinée: "toile de coton de qualité courante dont on se servait comme moyen d'échange avec les Guinéens." (*Le Petit Robert*)
petit-maître: 'dandy', 'fop.'
second: 'first officer.'
la langue wolofe: the Wolofs (or Oulofs) inhabited the coastal regions of Senegal.
64 **S'agit-il de faire halte:** i.e. *S'il s'agit de faire halte.*
65 **frappa dans la main du Noir:** 'shook the black man by the hand.'
Vêpres Siciliennes: not Verdi's opera, which was not written until 1855, but the play by Casimir Delavigne (1819).
partit au hasard: 'went off in the air.'
guiriot: Prévost defines the *guiriot* variously as musician, poet, buffoon or sorcerer.
66 **carton:** 'papier mâché.'
qui deçà, qui delà: 'in all directions.'
67 **il eût été dangereux:** literary, for *il aurait été.*
toiles: 'the meshes of a net.' (Cf. English 'toils.')
C'est pour le coup qu'ils . . .: 'This time . . .'

68 c'était bagatelle: note the idiomatic omission of the indefinite article.

69 de hautes fonctions auprès du capitaine: a suggestive remark.
comme c'est simple, cela ne comprend rien: here, even the interpreter treats the slaves as inanimate objects.
folgar: according to Prévost, 'un bal ou une fête.'
balafos: the *balafo* was a kind of wooden xylophone.

70 Cela n'est pas plus malin: 'That's all there is to it.'
attraper: 'to take in.'
Martin–Bâton: personification of the stick. Cf. La Fontaine's *L'Ane et le petit chien:*

> Oh! Oh! quelle caresse! et quelle comédie!
> Dit le maître aussitôt. Holà, Martin-Bâton!
> Martin-Bâton accourt: l'âne change de ton;
> Ainsi finit la comédie.

dites-lui qu'il se tienne . . .: 'tell him to . . .'.
cuir: colloquial. (Cf. English 'hide.')

71 dialecte des Peules: the accepted spelling in English and French is *Peuls*. The Peuls (or Fulani) speak not a mere dialect but a distinct language that has spawned its own dialects.
faire des expériences sur: 'to test.'
qu'il avait vu faire à des matelots: 'which he had seen sailors do.'

72 une petite lime: cf. Carmen's ruse to aid José's escape.
arrêté: 'fixed.'

73 il aurait bon marché de ses complices: 'he would make short work of his accomplices.'

76 qu'on se représente: 'imagine.'
on les eût vus: i.e. if one had been there.

77 Coriolan: the difficulty with which the Romans persuaded Coriolanus not to lead the Volscians against his mother city made this general a symbol of resolution. Mérimée would have expected his reader to be aware of Shakespeare's play.

79 Kingston: capital of Jamaica.
ceux qu'il avait tués n'étaient que des Français: cf. *Mateo Falcone*, p. 58.

80 tafia: 'A l'origine, dans les Antilles françaises, le «tafia» désignait l'eau-de-vie de canne, par opposition au «rhum», que produisaient les îles anglaises; puis «tafia» fut réservé à l'eau-de-vie obtenue par distillation des mélasses de canne à sucre, alors que le rhum était le produit de la distillation des jus de canne. Actuellement, aux Antilles françaises on appelle «tafia» l'eau-de-vie fraîchement distillée, provenant aussi bien des mélasses que du vésou, et «rhum» l'eau-de-vie vieillie en fûts de chêne brûlé.' (*Grand Larousse encyclopédique*)

Carmen et autres nouvelles choisies

La Vénus d'Ille

81 **Greek quotation:** 'May this statue, I said, be gracious and kindly, so closely does it resemble a man. (Lucian, *The Lover of Lies*)'

du Canigou: Le Canigou is the highest mountain in the eastern Pyrenees.

Ille: the town of Ille-sur-la-Têt, between Perpignan and Prades.

au Catalan: Catalan was spoken on both sides of the Pyrenees. It is made clear that this guide comes from Ille.

M. de Peyrehorade: Peyrehorade is a town between Bayonne and Pau. Did Mérimée have in mind the pejorative verb *pérorer* when he came to baptize his garrulous character?

Si je le sais: one of several examples of the guide's colloquial speech. Here some such phrase as *Vous me demandez* is assumed to have preceded.

M. de P.: the manuscript reveals that Mérimée had in mind François Jaubert de Passa, a distinguished archaeologist, who had been of great assistance to him during his tour of Roussillon.

82 **tirer en portrait:** 'to sketch.'

une idole en terre: ambiguous, hence the narrator's question.

Qu'est-ce que c'est? que je dis: another colloquialism. (Cf. "Jean Coll . . . il donne"; "voilà qu'il paraît une main noire"; and "Faut appeler le curé.")

Et enfin que trouvâtes-vous?: the use of the past historic in a direct question separates still further the narrator and his untutored guide.

révérence parler: 'begging your pardon.'

83 **Louis-Philippe:** the 'Citizen King' had come to power in 1830.

la figure de cette idole ne me revient pas: 'I don't fancy the look of this idol.'

J'amassais: a seventeenth-century usage. Modern French requires *ramasser* in this sense.

tuileau: 'a bit of tile.'

Pécaïre!: an exclamation of pity or regret, found in this area of France. Etymologically it is the French word *pécheur*.

monsieur le fils: i.e. Alphonse de Peyrehorade.

paume: the game of *pelota*, which is played against a wall by two teams, each of three players.

C'est que . . .: a colloquial means of emphasis.

faisait sa partie: 'played with him.'

C'était un petit vieillard: the description fits Puigarri. (See our Introduction.)

84 **une provinciale renforcée:** 'a provincial to the core.'

des miliasses: 'millet-cakes', a speciality of Languedoc.

un Terme: 'pillar' or 'statue.' An echo of a fable by La Fontaine:
Foi de peuple d'honneur, ils lui promirent tous

168

> *De ne bouger non plus qu'un terme.*
> (*Le Berger et son troupeau*)

depuis le cèdre jusqu'à l'hysope: a reference to I Kings, iv, 33.

85 **un mémoire:** 'a short study.'

86 **Coustou:** Nicholas Coustou (1658–1733).

Comme avec . . . ma ménagère: A parody of Molière's lines: 'Comme avec irréverence/Parle des dieux ce maraud' (*Amphitryon*, I, 2).

Myron: a Greek sculptor of the 5th century B.C.

Veneris nec praemia nôris: 'And you will never know the rewards that Venus brings.' (Virgil, *Aeneid* IV, 33. In the original it forms part of a question).

87 **le jeu de paume:** 'the *pelota* court.'

88 **Il y a pour plus de cent sous d'argent:** 'There's more than a hundred sous' worth of silver in them.'

Vraie contrebande: 'Le chocolat payait de forts droits de douane. L'excellent chocolat d'Espagne, venant de Barcelone, entrait en contrebande.' (Parturier's note.)

89 **mourre:** a game in which a player has to guess how many fingers have been raised on the hand that his partner has raised only momentarily.

Germanicus: this statue of a Roman orator is in the Louvre.

C'est Vénus tout entière . . .: Racine, *Phèdre*, I, 3. Perhaps the most famous of all Racinian lines. It should not be taken as a sign of Peyrehorade's vast erudition.

90 **patine:** 'patina', a coating of copper oxide.

antiquaillerie: Mérimée's own humorous neologism.

Quid dicis, doctissime?: not merely an unnecessary use of Latin ('What do you say, most learned of men?') but another literary echo: Molière, *Le Malade Imaginaire*, II, 6.

d'une bonne latinité: 'Dans ce sens en effet, et à l'époque classique, *cavere* se construit plutôt avec *ab* et l'ablatif.' (Parturier's note.)

91 **A grand renfort de besicles:** another literary reference, this time to Rabelais's *Gargantua*. The narrator and Peyrehorade are perhaps not so very different.

92 **Tyr:** the Phoenician port of Tyre.

Baal: the principal god of the Phoenicians.

93 ***fecit . . . consecravit:*** 'made' . . . 'dedicated.'

Gruter ou bien Orelli: Jan van Gruter, or Gruytère (1560–1627), and Johan Caspar von Orelli (1787–1849), Latin epigraphists.

en oiseaux blancs: it was Aphrodite (or Venus) who took her revenge on Diomedes by changing his companions into white birds.

95 **vendredi:** cf. *Tamango*, p. 62, and *Carmen*, p. 127.

169

D'honneur!: i.e. *Parole d'honneur!*

96 *Manibus date lilia plenis*: 'Give armfuls of lilies' (*Aeneid* VI, 883).
la charte: article 5 of the *Charte constitutionnelle* of 1830 reads: '*Chacun professe sa religion avec une égale liberté, et obtient pour son culte la même protection.*'

97 **Dyrrachium:** Durazzo, an Adriatic port in present-day Albania. The allusion is to an episode in Caesar's campaign against Pompey.
micocoulier: 'nettle tree', a tree of the elm family, found in this and other parts of the south of France. (Also known as *perpignan*. Cf. the location of this story).

98 *Me lo pagaràs*: 'I'll make you pay for this.'
Quelle brioche!: an expression that is no longer in use, meaning 'What a foolish thing to have done!', 'How stupid!'

99 **l'enlèvement des Sabines:** a far-fetched comparison with the rape of the Sabine women by the first Roman citizens.
Collioure: a small Mediterranean port, now in the department of Pyrénées-Orientales and noted for its wine.

100 **partager sa ceinture:** Peyrehorade chooses to talk of the ribbon as if it were a belt or girdle, presumably because this was the article of clothing that featured in the original Greek and Roman ceremonies.
Cette chute: 'This final remark.'
Montaigne et Mme de Sévigné: cf. Montaigne, *Essais*, I, xxi, and Mme de Sévigné's letter to Mme de Grignan, 8 April 1671. The words that follow are a near-quotation from the Sévigné letter. Mérimée is here alluding to temporary states of sexual impotence. (The next sentence is an ironic recollection of his own experience with George Sand.)

102 **me faire quelque méchante plaisanterie:** we may be reminded here of Mérimée's motto *memneso apistein* (cf. Introduction, p. 10).
Minotaure: half man and half bull, the Minotaur inhabited a labyrinth in Crete. The Athenians were compelled by their conqueror King Minos to send annually seven young men and seven young women to be devoured by the Minotaur. The beast was eventually slain by Theseus.

104 **Valence:** the Spanish town of Valencia.

107 **Je n'y ai point trouvé le mémoire:** we are perhaps meant to assume that Peyrehorade has destroyed it rather than that it was never in fact written.
les vignes ont gelé deux fois: probably an allusion to Rabelais, *Gargantua*, xviii, where it is said that the essential role of the bell is to "extraneizer les halots et les turbines suz nos vignes" ('to drive away from our vines hailstorms and whirlwinds').

Carmen

109 **Greek quotation:** 'A woman is a nuisance but she has two good seasons in her life: the first in her bridal chamber, the other when she is dead.' (*Greek Anthology*, XI, 381. It is a pun on *thalamos*, bridal chamber, and *thanatos*, death.)

Palladas: Palladas of Alexandria, a writer of the 5th century A.D., whose epigrams appear in the Greek Anthology.

bataille de Munda: the battle in which Caesar ended the civil wars by defeating Pompey's two sons.

Bastuli-Pœni: a tribe which settled in the area between Cadiz and Gibraltar.

Marbella: a Mediterranean port some forty miles west of Gibraltar.

Bellum Hispaniense: *The Spanish War*. This anonymous work is a continuation of Caesar's *De Bello Civile*.

duc d'Ossuna: the twelfth Duke (1812–1882).

Montilla: a town twenty-two miles south of Cordoba.

mémoire: no such study was ever published by Mérimée.

elle ne préjuge rien sur: 'it in no way prejudges.'

Cordoue: Cordoba.

Cachena: an error for Carchena.

110 **la sierra de Cabra:** literally, the Goat Mountains. The first meaning of the Spanish *sierra* is 'saw', but it also means a 'range of mountains.'

espingole: a type of blunderbuss. A weapon of Spanish origin; the word is a corruption of *espagnole*.

Elzévir: renowned Dutch printers of the 16th and 17th centuries.

familier: 'friendly' rather than 'familiar.'

111 **soldats de Gédéon:** cf. Judges, vii, 5–6.

Ne croyant pas . . .: the phrase is deliberately pompous and should be seen as an example of the self-mocking tone that Mérimée's narrator likes to adopt.

régalia: Spanish, a small cigar of fine quality.

partido: Spanish, 'district' (a sub-division of a province).

112 **tuiles à rebords:** 'broad-rimmed tiles', as used by the Romans.

haras: 'stud-farm.' A Spanish word that has passed into French. (The 's' becomes silent.)

trente lieues: a distance of more than 120 km is a suspiciously long journey for one horse.

tirade: as used here, *tirade* is not pejorative.

hôte: humorous, since *hôte* suggests a guest under one's own roof.

positivement: = *d'une manière certaine et précise*.

la venta del Cuervo: literally, 'The Raven Inn.'

113 **José-Maria:** cf. the third of Mérimée's *Lettres d'Espagne*.

drôle: 'rogue', 'scoundrel.'

114 Munda Bætica: *Andalucía* is the Arabic name for the former Roman province of Bætica.

gaspacho: *gazpacho* is in fact a highly seasoned cold soup.

zorzicos: a traditional Basque dance. The correct spelling is *zortziko.*

fueros: 'rights.'

115 Je crains que . . .: note the polite, careful speech adopted here by Antonio.

je ne me souciais pas . . .: 'I was anxious not to . . .'

116 j'enjambai par-dessus la couche: nowadays *enjamber* is used transitively.

117 Je sais un poste: a colloquial use of *savoir*. It would be more correct to use *connaître.*

il piqua des deux: *éperons* is understood.

par mesure de précaution: the narrator does not lack foresight!

Il sauta en pieds: nowadays the usual expression is *sauter sur ses pieds.*

son compte est bon!: 'he's for it!'

118 riz à la valencienne: *paëlla.*

les devoirs de l'hospitalité: cf. *Mateo Falcone.*

brigadier: 'corporal.'

alcade: the French form of the Spanish *alcalde*, a type of magistrate.

119 il est censé qu'il fait nuit: cf. the more usual *il est censé faire nuit.*

Actéon: having surprised Diana at her toilet, Acteon was changed into a stag and devoured by his own hounds.

grisette: "*jeune fille de petite condition, coquette et galante, ainsi nommée parce qu'autrefois les filles de petite condition portaient de la grisette (vêtement d'étoffe grise).*" (Littré)

mantille: the *mantilla* was a long scarf that was the universal headdress for Spanish women of the period.

à l'obscure clarté qui tombe des étoiles: cf. Corneille, *Le Cid*, IV, 3.

120 *papelitos*: small, mild cigars.

corde enflammée: this was just before the invention of the friction match.

Je fis sonner ma montre: the narrator's watch is a repeater (*une montre à répétition*).

Francisco Sevilla: the name of a real picador, though he was not in fact a friend of Mérimée's. (Cf. the first of the *Lettres d'Espagne* and its 1842 post-scriptum.)

la bonne aventure: 'your fortune.' (*La baji* is Romany.)

121 *gitana*: 'gypsy.'

si: Spanish, 'yes.'

Brantôme: cf. the story told by Brantôme (1535–1614) of a lady of Toledo (*Vies des dames galantes*, Book II). The allusion to a spicy author is, of course, entirely appropriate in this context.

122 **jardin des Plantes:** the Paris zoo.

rommani: Romany, the gypsy language.

Je n'entendais pas: = *Je ne comprenais pas*.

123 **je syllogisais:** 'I was debating.' (Mérimée's use of this archaic verb is of course humorous.)

en riant le moins jaune que je pus: i.e. 'laughing as naturally as I could.'

corrégidor: the *corregidor* was a police magistrate.

courses errantes: 'wanderings.'

124 **piécette:** the Spanish *peseta*.

avisez-vous de dire . . .: 'now go and tell . . .' (meaning, of course, that such action would be inappropriate or unjust).

là-bas: i.e. in France.

bien recommandé: *recommander* is here being used in the now obsolete sense of *retenir un prisonnier par un nouvel écrou* ('to lodge a detainer against s.o.')

hidalgo: a Spanish nobleman descended from a Christian family.

garrotté: death by strangulation. The victim is attached to a post by an iron collar, and a knot, worked by a screw, dislocates the spinal column.

vilains: 'commoners.'

125 **en chapelle:** the prison chapel, where condemned prisoners were customarily kept for three days prior to their execution.

petit pendement pien choli: a quotation from Molière, *Monsieur de Pourceaugnac*, III, 3. Molière's character is a German-Swiss—hence *pien choli* for *bien joli*. Although it seems that Mérimée is trying to capture the thickness of the Spanish priest's French accent, it is difficult to believe that the Dominican would have used this phrase, even ironically. This is surely the narrator simply displaying his dislike of the Dominican's interest in this morbid event.

Vittoria: the correct spelling in English, French and Spanish is Vitoria.

Pampelune: Spanish, Pamplona; English, Pampeluna. The capital of Navarre, named after its alleged founder, Pompey.

126 **Élizondo:** a Basque village to the north of Pampeluna.

que je fusse d'Église: 'that I should become a priest.'

Alava: the province of which Vitoria is the capital.

Almanza: a town in the eastern province of Albaceta.

épinglette: 'priming needle.'

127 **amateurs:** 'those who are keen on.'

vendredi: cf. *Tamango*, p. 62, and *La Vénus d'Ille*, p. 95.

cassie: 'acacia.' The blossom is yellow.

faisant les yeux en coulisse: 'a furtive look in her eyes.' Cf. *un regard en coulisse*, 'a sidelong glance.'

Compère: Spanish *compadre*, the usual form of address in Andalusia.

épinglier de mon âme: 'my sweet pin-maker' (or 'pin-seller').

128 **maréchal:** short for *maréchal des logis*, 'sergeant.'

les quatre fers en l'air: the image is, of course, that of a horse.

Triana: a working-class suburb of Seville with a large gypsy population.

balai: the implication is that she is a witch.

véreuse: 'guilty.'

chebec: the Spanish *xebec* is a small boat with three masts.

129 **croix de Saint-André:** X

rue du Serpent: there is indeed a street of this name in Seville but it is here chosen to emphasize the role of temptress that Carmen plays so well.

Mon officier: we may assume that Carmen knew José was only a corporal.

bar lachi: the gypsy 'loadstone' (or 'lodestone').

provinces: i.e. the Basque provinces.

130 **camarade de mon cœur:** Mérimée's translation of the Basque phrase.

êtes-vous du pays?: i.e. the Basque country.

pays: 'village.'

barratcea: The correct form would be *baratz*. The ending *-cea* is an enclitic, signifying the definite article.

la montagne blanche: i.e. the snow-capped Pyrenees.

131 **m'amie:** a medieval form of *ma mie*, 'my sweet.'

une tant petite fille: an archaic use of *tant*. Modern French requires *si*.

négro: the Spanish liberals were known as the 'blacks' and the royalists as the 'whites'.

132 **mon couteau:** the modern reader will be surprised to learn that José has been allowed a knife.

piastres: the *piastre* was worth just over fifteen francs (a crown?).

commère: in this context *commère* is not pejorative.

133 **on me commanda de service:** 'I was ordered on duty.'

patio: 'courtyard.'

134 **Demain il fera jour:** 'Tomorrow is another day.'

mangeons: = *dépensons*.

135 *turon*: the correct spelling is *turrón*. (*Turón* is Spanish for a badger!)

don Pedro: at this time Mérimée was working on his *Histoire de don Pèdre 1er*; the study was published in 1848.

Haroûn-al-Raschid: cf. *The Arabian Nights*.

137 **la loi d'Égypte:** 'the gypsy law.'

138 douro: another name for a *piastre*.

139 dragon: a pun, since *dragon* means both 'dragon' and 'dragoon.'

malgré que j'en aie: 'whether I like the fact or not.'

les affaires d'Égypte: 'gypsy-business.'

141 Pour le faire court: an archaic expression.

Jerez: a town south of Seville, the home of sherry.

le Dancaïre: 'Dancaïre, mot de la *germania* (argot espagnol) est celui qui joue pour un autre et avec l'argent de cet autre.' (Parturier's note.)

Gaucin: a small town half-way between Ronda and Gibraltar.

Estepona: a fishing port between Malaga and Gibraltar.

Ronda: an inland town in the province of Seville.

142 marchand de merceries: an appropriate trade for Carmen's *épinglier*.

Véger: Veger de la Frontera, a village on a hill not far from the sea, on the road between Cadiz and Algeciras.

presidio: Spanish, 'gaol.'

Tarifa: at the southernmost tip of Spain, on the straits of Gibraltar.

143 jusqu'à ce qu'on s'est avisé: *jusqu'à ce que* is more commonly followed by the subjunctive.

Ecija: an historic town east of Seville.

Remendado: past participle of the Spanish verb *remendar*, 'to patch.' Presumably a reference to his clothes.

144 Grenade: Granada, a large town in the east of Andalusia.

145 Fais tant que de: colloquial.

t'embarquer: 'go by boat.'

Saint-Roc: San Roque, only a few miles from Gibraltar.

146 Rollona: 'plump.'

à *finibus terrae*: literally 'to the ends of the earth.'

en effet: in its original sense of *en réalité*.

je pensais à retourner: *penser à* + infinitive ("avoir en vue de, avoir dessein de", says Littré) is now rarely used.

la bonne pièce: a familiar and slightly pejorative way of referring to an individual. A phrase common in the seventeenth century. Cf. "Voyez la bonne pièce avec ses révérences" (Corneille) and "Taisez-vous bonne pièce" (Molière).

148 jalousie: 'shutter.'

crocodile: 'En espagnol «*cocodrilo*» désigne une personne trompeuse et fausse.' (Parturier's note.)

Je veux qu'il me mène: i.e. the English officer.

religieuse: 'who is a nun.'

pillé rasibus!: a comical phrase meaning 'stripped bare.'

escoffier: colloquial: 'to do away with.'

149 franc Navarrais: 'a true man of Navarre.' *Cf.* p. 126.

Malaga: an important Andalusian sea port.

150 Garcia devait te tuer: 'Garcia should have killed *you*.'
arrive qui plante!: 'what must be will be!'

152 Zacatin: the commercial quarter of Granada.
réaux: the *réal* varied in value from $^1/_{20}$–$^1/_5$ of a *piastre*.

154 C'est écrit: Mérimée handles this side of Carmen's character discreetly. A lesser writer would have had his heroine produce throughout the story example upon example of superstitious beliefs and magic.
faisait des traits: 'was tracing figures.'

155 plomb: lead placed in the hem of a dress helped it hang better.

156 José: the first time Carmen has called him by his name. But *cf.* p. 136.

157 *Bohémiens . . . etc.*: nearly all Mérimée's facts concerning gypsy culture are taken from Borrow's *Zincali* (see Introduction, p. 36).

158 craignant . . . comme Panurge: cf. Rabelais, *Pantagruel*, xiv.
missionnaire anglais: Borrow was employed by the British and Foreign Bible Society.
***Casta quam nemo rogavit*:** literally, 'The chaste woman is she whom no one has asked.' (From the *Amores*, I, viii, 43.)

159 Le moyen, en effet, que . . .: 'How indeed could superstition exist?' (*Existent* is here subjunctive.)
se mêlaient de . . .: literally, 'took it upon themselves to . . .'
tiennent: *tenir* in the commercial sense of 'to have for sale.'
insensibles: *insensible* was once used substantivally to mean someone who was *insensible à l'amour*.

160 Campo-Santo: the cemetery.
en bon allemand: Mérimée is here remembering a visit to Lorraine in October 1846.

161 *pétalli*: Mérimée confuses *petali* (horseshoe) with *petalli* (the Spanish *posada*, a category of inn superior to the *venta*).
castillan: Castilian is accepted as the purest form of Spanish.

162 *Les Mystères de Paris*: Eugène Sue's highly popular novel appeared in serial form between June 1842 and October 1843. A character in the novel is called *le Chourineur*.
la bonne compagnie: 'polite society', 'honest folk.'
M. Vidocq: a celebrated criminal who eventually became a police officer. Among his books, all of which were largely ghost-written, are *Les Vrais Mystères de Paris* (1844) and *Les Voleurs* (1837), a work which incorporated a glossary of underworld slang. Vidocq was also the model for Balzac's character Vautrin.
***frimousse*:** Parturier observes: "l'étymologie de «*frimousse*» paraît fantaisiste et comme une plaisanterie à la manière de Mérimée. On rattache ordinairement le mot à *frime*."
Oudin: Antoine Oudin, whose *Curiositez françoises pour servir de supplément aux Dictionnaires* appeared in 1640.